EDDY VEERMAN

VOLENDAM
10 JAAR LATER

db

In herinnering aan hen, die overleden tengevolge van de Nieuwjaarsbrand:
Eric Schokker, Edward Jonk, Christin Grossman, Ruud Steur, Dennis Runderkamp,
Yvonne Veerman, Klaas Koning, Liesbeth Buys, Peter Veerman, Nico Kwakman,
Lennart Veerman, Sharon Sombroek, Nico Veerman, Anja Kok.

INHOUD

VOORWOORD EDDY VEERMAN

Wie aan Volendam dacht, dacht aan paling, aan BZN, aan The Cats, aan de klederdracht, de plaatselijke voetbalclub en voetbaliconen als Gerry & Arnold Mühren, Wim Jonk en Edwin Zoetebier. Wie aan Volendam denkt, denkt aan Jan Smit, Nick & Simon, de 3JS. Het toerisme tiert nog altijd welig op de befaamde dijk. Daar waar iedere bezoeker aan de haven even stil blijft staan bij het monument, dat herinnert aan die nacht van 01-01-01. Want wie aan Volendam denkt, denkt namelijk ook aan de Nieuwjaarsbrand. Aan de beelden van die ijskoude en gitzwarte nacht. Beelden die voor altijd zullen beklijven. Van het kille aanzicht van een bar, met ingeslagen ramen en daar uit wapperende gordijnen en jassen. De chaos, de zwaailichten en sirenes van op en af gaande ambulances, de wanhopige blik in de ogen van honderden ouders, die uren zochten naar hun kind.

Vele jongeren bleven ongedeerd, maar waren getuige van een nachtmerrie. Tientallen kinderen lagen dagen, weken, zelfs maanden in de ziekenhuizen van Nederland, België en Duitsland. Het dorp Volendam was in hart en ziel getroffen, Nederland leefde mee. Vooral omdat het om onschuldige kinderen ging. Jeugd, die zo graag naar bar De Hemel wilde, om generatiegenoten een Gelukkig Nieuwjaar te wensen. Veel meer dan het wettelijk toegestane aantal verbleef in feestsfeer, toen de kerstversiering boven hun hoofd vlam vatte, nadat die in aanraking was gekomen met een bundel sterretjes. Tientallen jongeren verdrukten elkaar op weg naar de uitgang, liepen ernstige brandwonden op en voor enkelen volgde de verstikkingsdood. Uiteindelijk zouden veertien jongeren in de leeftijd van 13-23 jaar komen te overlijden. Zelfs CNN, BBC, Bild Zeitung en Daily Telegraph berichtten destijds groots. Er kwam een Stille Tocht met duizenden mensen, die vervolgens verzamelden in het stadion van FC Volendam, waarbij ook Prins Willem Alexander aanwezig was. Koningin Beatrix bezocht diverse ziekenhuizen. Artiesten als Marco Borsato kwamen optreden tijdens een speciaal georganiseerde tv-show in het dorp om geld in te zamelen en twee maanden na 'de brand' speelden sterren als Marco van Basten, Ruud Gullit, Ronald Koeman en Wim Jonk mee tijdens de 'Wedstrijd van Verbondenheid'.

Vele lichamen en gezichten waren getekend voor het leven. Gevreesd werd voor een psychische ramp na de ramp. Hardop en onderhuids leefde de vraag: konden de ouders en de jongeren met het zichtbare en onzichtbare leed leven? Generaties laveren tussen trauma en toekomst, tussen verbittering en verder gaan. Vanuit de dramatiek groeide de innerlijke kracht, de overlevingsdrang, die zoveel mensen versteld heeft doen staan.

Vanaf 01-01-01 interview ik al getroffenen jongeren, ouders van kinderen in ziekenhuizen, ouders van overleden kinderen en andere betrokkenen, voor de plaatselijke krant Nivo (Nieuw-Volendam) en De Telegraaf. Vele verhalen werden in december 2001 gebundeld in het boek 'Het Verdriet van Volendam'. Het is als de dag van gister, terwijl een decennium voorbij is gegleden. Hoe is het hen sindsdien vergaan? Veranderde levens vertellen, in het boek 'Volendam, tien jaar later'. En vormen een bron van inspiratie voor de medemens.

PETJE AF VOOR GLOBETROTTER

RENÉ TOL

Al trekken steeds meer jongeren er alleen met een rugzak op uit om op ontdekkingsreis te gaan naar de veelbelovende landen Australië en Nieuw-Zeeland, het blijft een bijzondere stap. Het vereist immers een behoorlijk portie moed. Zeker als lijf en leden gevormd zijn door het vuur. Dan is de neiging juist sterker het onbekende tevens onbemind te laten. Als backpacker stel je je letterlijk en figuurlijk continu bloot aan de rest van de wereld. René Tol (24) liet zich er niet van weerhouden om zijn lang gekoesterde en vaak weggestopte verlangen in de praktijk te brengen. Acht jaar na de Nieuwjaarsbrand waagde hij zich alleen aan het grote avontuur. Dit voorjaar keerde hij terug van een liefst zestien maanden durende trektocht over de wereldbol, die hij sindsdien omarmt. De verdere evolutie van zijn nieuwe 'ik' voerde hem langs tien machtige landen, hij kreeg een spoedcursus in zelfredzaamheid én saamhorigheid en de globetrotter keerde terug met een nonchalant ringbaardje. Petje af.

Als zoon van een tegelzetter leek hij voorbestemd om het vak van zijn vader te gaan beoefenen. 'Als scholier ging ik tijdens vakanties met hem mee en ik vond het een leuk beroep. Mijn interesses van toen? Een fanatieke sporter was ik niet, ik kreeg wat tennisles en had daarvóór gevoetbald. Het was vooral een kwestie van je vrienden opzoeken. Internet was in opkomst, maar was nog niet voor iedereen. Ik was niet superbraaf, maar ook niet rebels. Zat er tussenin, al zeg ik het zelf. Het is raar, maar eigenlijk weet ik verder niet meer zoveel van die periode; alsof het leven begon na de ramp. Dat wat daarvóór zit, is als het ware een ander leven. Maar daar weet ik dus nog weinig van. Wel alles van daarna.'

Met de nadruk op *na*, want van het moment en de avond zelf, staat hem nauwelijks iets bij. 'Toen ik bijkwam in het ziekenhuis van Antwerpen in België heb ik wel wat dingen gezegd. Over dat ik ergens achterin stond in De Hemel, bij de trap om naar het toilet te gaan. Dicht bij de plek waar het vuur is ontstaan. Dat kan wel kloppen, gezien de gaatjes die ik in mijn hoofd had, van gesmolten kerstversiering. Maar ik was behoorlijk dronken en misschien ben ik wel in shock geraakt. Het is allemaal heel vaag. Ik was nog maar veertien jaar. En achteraf gezien misschien niet zo erg dat ik me er nauwelijks iets van kan herinneren...'

'In Antwerpen ben ik in de eerste maanden zeven keer geopereerd en naderhand nog twintig keer. Ik had als het ware mijn eigen kamertje daar. De eerste operaties waren om beter te functioneren, naderhand was alles om cosmetische reden. Zo'n vijf jaar geleden heb ik bijvoorbeeld huid van mijn lies bij mijn oor laten aanbrengen, zodat het er wat normaler uitziet. Ik had geen moeite met telkens weer die ziekenhuisopnames, pas als ik een tijdje niet geweest was en ik mijn leventje weer had opgepakt, dan ging ik er wel tegenop zien wanneer ik er weer heen moest. Ik ben nu tevreden, heb weinig wensen meer, wat mijn lichaam betreft.'

'Als ik nu terugkijk, heb ik geluk gehad dat ik zo jong was. Dan denk je nog niet zozeer over alles na. Alleen in de eerste paar maanden heb ik vreselijk veel pijn gehad. Toen alle wonden dicht waren, ben ik als het ware rechtdoor gegaan, heb werk gezocht. Nu heb ik allerlei dingen opgebouwd; als het me nu zou gebeuren, weet ik niet hoe ik er dan mee om zou gaan.' Het voorland, tegelzetten, bleek onbereikbaar geworden. 'Ik heb het nog geprobeerd, maar met mijn handen – ik heb delen van mijn vingers verloren – ging dat niet. Maar ik was nog niet echt aan het werk als tegelzetter, dus het was niet zo'n teleurstelling: ik had immers nog geen vergelijkingsmateriaal, zoals andere jongeren dat misschien wel hadden. Achteraf gezien was het prima; het werk wat ik daarna ben gaan doen, was leuker. Maar eigenlijk sta ik er wel eens van te kijken dat ik zo verder ben gegaan, na die ramp.'

'Het enige wat ik er eigenlijk nog mee heb, is dat het is gebeurd. Meer dan een derde deel van mijn leven is het al zo. Ik heb nooit naar het nazorgcentrum gehoeven om hulp te vragen, terwijl anderen dat misschien wel nodig hadden, dus voor hen is het belangrijk geweest. Mijn moeder en oudste zus hebben er heel veel moeite mee gehad en dat kan ik ook begrijpen. Ik lag daar met een pijp in mijn keel, zij zaten de hele tijd aan dat ziekenhuisbed. En ik was nog een puber, dan praat je niet zoveel over moeilijke dingen. Dan is je relatie met je moeder ook anders; dan schuif je niet even aan tafel om te gaan zitten praten over hoe het gaat. Ik verdiepte me daar niet zo in.'

'Eenmaal hersteld had ik de gezelligste tijd van mijn leven. Ging de bar weer in. Mijn moeder had daar wel moeite mee, dat is de overbezorgdheid van ouders. Als je tien jongeren van die leeftijd van straat plukt, durf ik te wedden dat van negen jongeren hun ouders overbezorgd zijn. Maar het moet ook verschrikkelijk zijn als je kind iets overkomt, dat lijkt me het ergste wat er is.'

Al snel bleek hij goed onderlegd in het bouwen van websites. Zo richtte hij tevens zijn eigen website op, met enige zelfspot genaamd *Mooi kaal is niet lelijk*. 'Een uit de hand gelopen iets. Ik plaatste er foto's op van de vriendengroep als we uit waren geweest. Tijdens mijn eerste job bij de plaatselijke kabelkrant leerde ik met mensen omgaan. Op een gegeven moment wilde ik wat anders en kwam ik bij het Volendamse bedrijf Grafisch Goed terecht. Aanvankelijk voor de afdeling Belettering, maar naderhand werd ik allround, meer de grafische kant op.'

Ondertussen bezocht hij met vrienden zonnige oorden als vakantiebestemming. 'Had ik geen moeite mee. Mensen komen niet zo snel op je af met vragen over je uiterlijk. Ik vind het prettig als ze dat wel doen, in plaats van dat ze gaan lopen staren. Maar ik zou zelf ook niet zo snel op iemand af stappen als ik iemand zo zag lopen.'

'Gaandeweg ging er iets borrelen. Eigenlijk speelde het al in mijn hoofd voordat ik aan het werk ging. Destijds dacht ik dat het misschien beter was eerst weg te gaan voor langere tijd. Maar als je zestien bent, wil je geld verdienen en uitgaan en lol maken met je vrienden. Naderhand sprak ik steeds vaker mensen die 'weg' waren geweest. En dan zei ik steeds: 'dat zou ik ook wel eens willen doen'. Maar daar bleef het telkens bij. Vervolgens heb ik de knoop doorgehakt, nadat ik 'half kachel' op de laatste dag van de Volendammer kermis iets had laten vallen bij m'n jongste zus, terwijl het eigenlijk nog niet de bedoeling was om m'n voornemen te delen. Die zus was overigens al eens in Australië met vakantie is geweest.'

'Steeds dacht ik: gaat er weer eentje heen. Ben ik eens verhalen gaan lezen en sites bekijken. Waarom zou ik het zelf niet doen? Ik moest eens iets met mijn leven gaan doen, in plaats van de standaard dingen. De mensen om me heen kregen in de gaten dat het geen bevlieging was. In het kader van de voorpret oriënteerde ik me verder.'

'Je gaat ook nadenken over wat je hier houdt. Bijvoorbeeld dat ik twee kleine neefjes heb. En mijn werk was leuk, we hadden een leuk team. Maar ook dat moet je niet ervan weerhouden te gaan. Des te langer ik hier zou blijven, des te meer ik zou vastroesten.' Hij kocht een open ticket. 'Enerzijds was ik terughoudend qua planning. Misschien zou ik ongelofelijk veel last van heimwee krijgen', lacht hij ondeugend. Zijn brandwonden vormden vooraf al geen drempel. 'Hoe ik eruit zie, heeft me nog nooit tegengehouden. Het was dat een tante me vroeg of ik niet angstig was voor hoe mensen daar op me zouden reageren. Ik had er nog niet eens bij stilgestaan. Het zou een drempel kunnen zijn, maar het zou jammer zijn als je daarom dingen besluit niet te doen.'

'Ik wilde gewoon mijn gangetje gaan. Wist niet hoe ze naar mij zouden kijken en of ik *erg* ben. Je moet jezelf nooit *erg* vinden. Het hoort bij mij; ik ben zo. Ik vertrok in eerste instantie met een Nederlandse groep en via internet had ik toen al wat medereizigers ontmoet. Eén meid had mij op Hyves opgezocht en het aan haar kennissenkring laten weten dat er iemand uit Volendam meeging die bij de Nieuwjaarsbrand betrokken was geweest. Kreeg ik allerlei reacties dat ze het goed vonden, dat ik zoiets ging doen en niet in een hoekje ging zitten. Ik was best wel benieuwd naar wat andere mensen ervan zouden vinden. Maar waarom zou je anders tegen iemand aankijken als die iets heeft?'

'Angst had ik niet. Ik was vooral nieuwsgierig, misschien een beetje huiverig voor hoe je contact zou maken met anderen. Dat stond helemaal los van mijn brandwonden. M'n moeder zei vooraf nog tegen me dat mijn bed weer zo leeg zou zijn, zoals dat ook maandenlang gold in de periode na de Nieuwjaarsbrand. Zei ik: maar nu ben ik iets leuks aan het doen, denk daar maar aan. Ik had mezelf ook goed ontwikkeld na de ramp. Was van een – voor de buitenwereld – stil jongetje wat meer – als het ware – rechtop gaan leven.'

'Het doet je goed, als je dan al goede reacties krijgt van mensen. Ik verzamelde op Schiphol en vertrok met een groep Nederlanders, daarna ging eenieder in backpackstyle verder. Voor het vertrek en het afscheid op Schiphol had ik mezelf en mijn familieleden een 'jankverbod' opgelegd. Ik wilde niet dat het erg emotioneel werd. En zelf had ik ook meer een gek of afwachtend gevoel van: wat staat me allemaal te wachten? Dan ga je eindelijk richting douane, laat je paspoort zien en toen keek ik nog even om en zag wat waterige oogjes. Daarentegen had ik een smile van oor tot oor. Vond het vooral supergeniaal wat ik aan het doen was. Ging immers het grote avontuur tegemoet.'

Bijna zestien maanden vertoefde hij op bijzondere plekken op aarde. De wereldreis voerde hem (meerdere keren) langs Australië, Nieuw-Zeeland, Fiji-eilanden, Hongkong, Cambodja, China, Thailand, Laos, Indonesië en Maleisië. 'Ik vulde een hele grote rugzak met ervaringen. Ben zo lang weg geweest, dat besefte ik pas na veertien maanden. Dan ervaar je ook een beetje de nadelen van het lang wegblijven. Dan leef je naar je datum van terugreis toe en ben je blij als je weer naar huis mag. Waar niets veranderd is en ik meteen weer in het normale leventje kwam. Maar die nadelen, dat is één procent van al het moois wat je daar doet. Ik heb er zoveel van opgestoken.'

De Volendammer ondernam onderweg liefst 107 duiken in allerlei verschillende open wateren. Van de Great Barrier Reef in Australië tot Komodo Island in Indonesië. 'Ik wilde eigenlijk een paar duiken maken, maar heb ondertussen vier brevetten gehaald en in de laatste periode dook ik bijvoorbeeld 22 keer in zes dagen tijd...' Als backpacker ontmoette hij tal van mensen uit allerlei landen en kreeg als getroffene van de Nieuwjaarsbrand veel vragen op zich af. 'Ik heb mijn verhaal zeker honderd keer moeten vertellen. Dan schrokken sommigen best wel, maar ik zei erbij: ik ben nu wel aan de andere kant van de wereld en wellicht was ik daar anders nooit gekomen. In één seconde kan je leven veranderd zijn en daarom wilde ik gaan genieten.'

Hij was er vooral zichzelf. 'Soms best luidruchtig, een beetje gek. Sommige reizigers zullen gedacht hebben: met hem valt geen serieus gesprek te voeren. Sommigen durven het gewoon niet te vragen. Mensen willen misschien ook niet onbeleefd zijn of denken dat ik er misschien niet over wil praten. Maar je hebt er ook landen tussen waar de mensen heel direct zijn, zoals de Aziaten. In een lift negentien hoog in Hongkong stapte een Indiër in en die vroeg meteen in zijn beste Engels: *'What happened to you?'* Maar je kunt niet alles uitleggen, helemaal als hun Engels niet zo best is. *'I was burned, ten years ago, in a big fire'*. Bij de Temple of Angkor in Cambodja stond ik foto's te nemen en ineens stond er zo'n vrouwtje voor m'n neus, met drie kinderen bij zich. Wat ik vertelde, vertaalde zij voor haar kinderen en ze begonnen ook te voelen aan m'n handen. Leuk, maar na vijf minuten dacht ik wel *'the show is over'*.'

'Ik heb nooit het gevoel gehad dat ik een drempel over moest, bij binnenkomst van een hotel, hostel of bar of waar dan ook in al die landen. Dan had ik niet moeten gaan. Op het werk in Volendam hebben we ook klanten van buiten het dorp en die ontmoet je ook regelmatig. Of je nou Amsterdam in gaat, of Sydney, dat blijft hetzelfde. Ik wist dat ik mijn verhaal honderd keer moest gaan vertellen en heb er onderweg veel respect voor gekregen. *'Knap dat je dan dit gaat doen'*. Ik begrijp dat misschien niet iedereen durft, dat ligt ook aan je persoonlijkheid. De Nederlanders zag je al denken, als ik vertelde dat ik uit Volendam kwam. En daarna kwam de vraag: *'oh, heb jij in die brand gezeten?''*

'Sommigen keken me vragend aan en zeiden: als je er niet over praten wilt... *Welnee*, zei ik dan. Het was geen probleem. Op een gegeven moment was het een soort van borrelpraatje. In het begin ging het nog in hakkelig Engels. Want wat is 'aangestoken sterretjes' in het Engels? Daarna kon men rustig op 'play' drukken en dan begon ik te ratelen. Veel mensen schrokken, ze verwachten niet dat je met zo'n verhaal komt, dat er zoiets gebeurt als je jong bent. Dan begon ik al te vertellen dat ik nog maar veertien was en daar in die bar eigenlijk niet hoorde te zijn. Dat je bekenden hebt verloren. In Nederland kennen ze het verhaal, daarbuiten uiteraard niet.'

'Op het nakijken en staren van andere mensen heb ik nog zelden gelet. In Beijing (China) merkte ik dat de mensen van voren al opvallend naar me keken en dat héél lang bleven doen. Dan keek ik soms lang terug en dan draaiden ze vanzelf om. Dat was de ervaring van hoe verschillende culturen reageren. Maar ik weet hoe ik zelf ben, als ik iemand zonder been met krukken tegenkom, dan kijk ik ook ongemerkt.'

'Het is ook bijzonder om te merken dat, omdat ik een ellendige ervaring heb meegemaakt, mensen in een gesprek met mij ineens hun hele verhaal op tafel gooiden, over wat ze allemaal mee hadden gemaakt. Ik had er gerust wel eens een shitdag', bekent hij. 'Maar die heb ik hier in Volendam ook. Dat relateer ik dus niet aan de Nieuwjaarsbrand.'

'Vooraf had ik niet het gevoel dat het iets bijzonders was dat ik deze wereldreis zou gaan maken. Iedereen heeft toch wel eens wat meegemaakt in z'n leven, ook al ben je jong. Geleidelijk aan ging toch dat gevoel een beetje bij me dagen, omdat zóveel mensen zeiden dat ze het bijzonder vonden. Je ontmoet op zo'n reis sowieso heel veel mensen die iets van de wereld willen zien, maar ook even weg willen van hun thuissituatie.'

'In die bijna anderhalf jaar heb ik veel lange verhalen gemaild naar geïnteresseerde achterblijvers, op mijn weblog.' Steeds trok hij verder, moest hij reisvrienden of -gezelschappen achtergelaten. 'Dan zette ik de knop om, nam afscheid en dacht: gaan we weer, naar het volgende stadje of land, nieuwe natuur bekijken, nieuwe mensen ontmoeten. Ik denk dan meer aan de goede dingen die ik heb gehad, daar kan ik dan weer op teren. En soms kwam ik reisgenoten van weken of maanden eerder weer ergens tegen.'

'Ik kreeg dikwijls te horen: je bent zeker wel blij dat je nog leeft. Ik ben superblij. Zestien maanden reizen over de wereldbol, het kan niet beter. Onzekerheid heb ik er eigenlijk nooit gevoeld. Ik heb mezelf heel vaak moeten voorstellen, maar daar had ik geen moeite mee. Ligt aan je karakter, denk ik. Je moet op zo'n soort reis ook sociaal zijn. Er is daar een wereld voor me open gegaan. Toen ik in het begin van mijn reis een kampeertrip maakte door Tasmanië, werd samenwerken verwacht. *You need help?*', werd er gevraagd. Dacht ik 'wow, zo kan het ook'. Dan ga je daar zelf ook in mee. Dat maakt zo'n trip zo leuk. Als anderen dan tussentijds zeggen 'hij of zij is behoorlijk lui', dan weet ik dat ik niet de 'luie' van het stel ben. Het heeft van mij een socialer persoon gemaakt. Nu help ik m'n moeder als m'n ouders een weekendje weg zijn. Zet ik zelf het bordje in de afwasmachine en doe de handdoeken in de wasmachine. Voorheen zette ik het bordje op het aanrecht en ging naar boven achter de pc.'

'Je moet mensen ook een kans geven. Ik had vaak vooroordelen. Zag ik een jongen stoer doen en dacht: wat is dat voor een pipo? Misschien ook niet zo gek, dat soort gedachten, want hier in Volendam ontmoet ik tenslotte nauwelijks nieuwe mensen. Daar dagelijks. Dan pas merk je hoe je met andere mensen om kan gaan en bleek bijvoorbeeld dat ik een verkeerde indruk van zo'n jongen had. Niet bij iedereen, hoor, want bij sommige Amerikaanse meiden had ik het wel vaak bij het juiste eind... Ik moet wel zeggen dat ik voor een Volendammer altijd al behoorlijk *open minded* ben geweest. Maar dat kon ik hier in het dorp minder tonen. Daar wel.'

In de huidige tijd was zijn stap niet geheel risicoloos. 'Helemaal met de crisis voor de deur was het een behoorlijke gok om m'n baan op te zeggen, niet wetende wat me te wachten stond. Maar de toekomst is morgen, dacht ik. Toen ik daar kwam, sloeg m'n hoofd wel even op hol. In die zin, dat ik daar bijvoorbeeld dacht om duikinstructeur te worden op een mooi eiland. Mooi beroep, maar op een gegeven moment zie je in dat dat het ook niet is. Ik heb er veel Ieren ontmoet, die graag hun land even wilden ontvluchten. Ik zou het iedereen aan willen raden. Ben blij dat ik het niet te vroeg en niet te laat heb gedaan. Als je te jong gaat, dan blijf je denk ik te lang aan de Australische oostkust hangen, in de gezelligheid van de barretjes en het nachtleven. Maar de gezelligste avonden waren voor mij de onverwachte avonden. Ergens in een plekje dat maar duizend inwoners telt en dan met de locals buiten aan een biertje en verhalen vertellen.'

'Op 1 januari van dit jaar stond ik in Sydney, waar Nieuwjaar ontzettend groots wordt gevierd. Stond ik daar wel met het idee dat *het* alweer negen jaar geleden was. Zo lang geleden. En het was tevens de afsluiting van een jaar dat nooit meer overtroffen kan worden.' Mede door de financiële regeling die getroffen is voor de Volendamse slachtoffers, had hij deze mogelijkheid. 'Dat geld kun je vastleggen of op andere manieren gebruiken. Ik had genoeg ellende gehad en heb een deel ervan op deze manier ingevuld.'

'Weet je; als de Nieuwjaarsbrand niet was gebeurd, hoe had het leven er dan uit gezien? Was ik misschien bij m'n vader in het tegelzetbedrijf gegaan, hard werken, klussen, trouwen, kinderen en op m'n tachtigste naar het bejaardentehuis. Ik heb beseft dat het zomaar over kan zijn. Daarom dacht ik: laat ik iets verrassends doen. Anders had ik deze stap nooit gemaakt. Ik maakte het onderweg tijdens mijn reis vaker mee, dat mensen zeiden dat ze iets hadden meegemaakt en daarom zo'n grote stap maakten en er langer tussenuit te gaan, er het beste van te maken. Dat kan er maar eentje doen en dat ben je zelf.'

Hij heeft inmiddels een aantal werelddelen gezien. 'Maar er blijven nog genoeg landen over. Ik denk dat, als ik weer ga, ik in m'n eentje ga backpacken. Een maandje erop uit. Hoeft niet ver te zijn, kan ook in Ierland. Ik vond het leuk om die ellenlange verhalen te schrijven. Heb ik misschien van m'n moeder, die kan goed schrijven. Voor mezelf en de mensen om mij heen heb ik er een boekwerk van gemaakt, met de reisverhalen en foto's. Als ik dan eventjes lees, zit ik er zo weer in.'

Van zijn bedlegerige periode in het hospitaal van het Belgische Antwerpen heeft zijn moeder een dagboek bijgehouden. 'Dat is van de eerste drie weken. De weken waar ik zelf niets van af weet. Maar ik moet eerlijk bekennen dat ik het nog steeds niet gelezen heb. Dan zal ik lezen hoe erg die periode is geweest voor hen. Dat hoorde ik wel uit de verhalen daarna, maar dan lees je ook hun gevoelens.'

Er gebeurde altijd wel wat met hem tijdens vorige vakanties. 'Op Mallorca heb ik op jeugdige leeftijd in een ziekenhuis gelegen omdat ik een bacterie had opgelopen; heb ik kantje boord gelegen. In Salou ben ik eens vanwege de warmte flauw gevallen, met m'n hoofd op de stoep. Daarna heb ik ook in een buitenlands ziekenhuis gelegen', doelt hij laconiek op de Nieuwjaarsbrand en Antwerpen. M'n ouders hadden in dat opzicht best angst toen ik naar Australië ging. En ook daar heb ik een ziekenhuis van binnen gezien...'

'Toen ik met een reismaatje uit Groot-Brittannië en twee meiden in het Australische Darwin 's nachts nog wat wilde drinken in een bar werd m'n maatje plots tegen de grond geslagen. Ik wilde ertussen komen, maar kreeg ook meteen klappen en ging naar de grond. Ze waren met z'n vijven, stonden er kennelijk op te wachten. Ik kon er me naderhand weinig meer van herinneren, het ging ook zo snel. Maar ik bloedde nogal, dus de ambulance moest komen. Mede door de alcohol probeerde ik de humor er onderweg in te houden. Toen ze in de ambulance *medical history?* vroegen, zei ik lekker bijdehand: *'Where should I start?'* Na alles verteld te hebben, wilden ze een infuus inbrengen in m'n arm. Door enige ervaring wist ik al dat dit bij mij niet tot nauwelijks te doen is. Ik zei: *'You're not gonna find any'*. Zei zij weer een beetje geprikkeld: *'Just let me do my job, ok?'* Na vijf minuten prikken en poeren moest ze toch de strijd opgeven en kon ik met m'n bijdehante en gewonde kop zeggen: *'told ya'*. Gelukkig wist ze al dat ik het allemaal niet zo serieus nam, dus een glimlachje kon er bij haar ook wel weer vanaf.'

Zijn reismaatje moest met een gebroken kaak bed blijven houden. 'Mijn kaak was gezwollen en de hoofdwond hoefde niet gehecht te worden. In het ziekenhuis vertelden ze ons dat degene die dit ons aan hadden gedaan, wel eens AJ's (Army Jerks) konden zijn. Dichtbij zit een legerbasis en het gaat om jonge jongens die een half jaar uit worden gezonden naar bijvoorbeeld Irak en helemaal doorgedraaid terug komen en hun zorgen door drank, drugs en blijkbaar gevechten proberen te vergeten. Wij waren het vierde geval die week in het ziekenhuis die met exact hetzelfde verhaal binnenkwamen.'

'Ik heb al een en ander meegemaakt in m'n leven, maar dit is de eerste keer dat iemand me bewust iets aan heeft gedaan. Ik had nog nooit klappen ontvangen of echt gevochten. Ik houd niet van vechten, probeer het juist altijd te sussen. Daarbij komt ook nog eens dat ik, onlangs mijn lengte en gewicht, lang niet sterk ben. Maar volgende keer zal ik wel beter m'n best doen om terug te meppen.....'

'Na het voorval deed ik een belletje met m'n ouders. Had ik later m'n zus huilend aan de lijn. Ik kan begrijpen dat ze, zo ver weg, een beetje overstuur waren.'

Andersom deed die afstand zich ook een keer hevig voelen. 'M'n vader sukkelde in de eerste maanden na mijn vertrek met zijn gezondheid. Dat begon met een acute hernia en daarna kreeg hij ademhalingsproblemen. Het bleek longembolie te zijn. Eigenlijk wist ik pas na een paar weken hoe erg het met hem gesteld was. Zei ik in mijn weblog dat-ie nu moest stoppen met 'bedakken' (Volendams voor iets heftigs meemaken). 'Dat is mijn taak', schreef ik. Toen ik begin dit jaar terugkwam zag ik pas een foto van hem, liggend in het ziekenhuis. Schrok ik wel hoe slecht hij er uit zag. Toen ik zover weg zat en de ernst ervan hoorde, dacht ik wel zoiets van: shit, da's mijn vader, die me na de Nieuwjaarsbrand hielp met het verbinden van m'n wonden, die me hielp bij het naar de wc gaan en nu kan ik niets voor hem terugdoen... Al kon ik maar een kopje koffie zetten, of boodschappen halen of zoiets.'

'Als er vervelende dingen gebeuren, is het lastig voor het thuisfront dat je niet in de buurt bent. In Bangkok werd mijn paspoort afhandig gemaakt door oplichters. Maar ach, zolang je zelf maar gezond bent... Ik bleef er vrij rustig onder.' Alleen tijdens zijn favoriete bezigheid in de wereldse wateren brak het angstzweet hem een keertje uit. 'Duiken is prachtig. Vooral overdag heb ik gedoken, maar ook een paar keer 's nachts. De eerste ging mis. Bleek de tank niet goed afgesteld. Ik raakte in paniek op tien meter diepte. Even dacht ik: *daar ga ik*... Ik liet mezelf snel stijgen en toen ik bij was gekomen ben ik meteen weer naar beneden gegaan, anders durf je misschien nooit meer. De volgende morgen ben ik afgezakt naar dertig meter. Eén keer heb ik nog een flashback gehad van dat slechte moment, daarna nooit meer. Na zestig duiken deed ik weer een nachtduik en dat ging alsof ik brood haalde in de supermarkt.'

Telkens had hij andere reismaatjes waarmee hij zijn belevenissen deelde. 'Tuurlijk was het moeilijk om sommigen vaarwel te zeggen. Maar je gelooft wel dat je degene waar je echt goed contact mee hebt, misschien wel weer eens opzoekt of tegenkomt. Ik ben niet zo emotioneel aangelegd. Heb ik ook na 'de brand' geen last van gehad. Daar prijs ik me best gelukkig mee. En contacten verwateren toch wel. Alleen via Facebook of Hyves is dat er nog. Hier zit je in je normale leven, daar in een reisroes. Steeds omgeven door andere reizigers. Als ik eens een moment voor mezelf had, dan was ik al dolblij. In zo'n hostel deel je alles: je kamer, de keuken, de badkamer.'

'Er is me onderweg ook vaak iets gevraagd over Volendam. Zo van: 'als ik daar kom wonen, word ik dan geaccepteerd?' *Tuurlijk*, zei ik lollig, *wel als ik je buurman ben*. Maar als je het filmpje van afgelopen voorjaar bij 'De Wereld Draait Door' zag, waarin enkele dorpsgenoten op een tenenkrommende manier aangaven waarom ze PVV stemden, dan is dat een bevestiging voor de mensen die dat aan mij vroegen. En moraal van dat verhaaltje: we blijven een apart volkje, Volendammers. Ik ben wel iets ruimdenkender.'

Maar hij was afgelopen voorjaar wat blij de charmes van het dorp weer op te snuiven en zijn familie in de armen te sluiten. 'Toen ik vertrok van Schiphol, was mijn jongste neefje zeven weken oud. Toen ik terugkeerde anderhalf jaar. Op Schiphol zette mijn zus dat kind zo in mijn armen. *Zo, alsjeblieft*. M'n neefje begon te huilen en dacht misschien wat is dat voor een enge man? Ik vond het geweldig om haar zoontje en die van mijn andere zus, die inmiddels drie jaar was, weer te zien. Tot dan toe had ik alleen wat fimpjes op Hyves kunnen bekijken.' Zoals er ook communicatie was met het ouderlijk huis. 'M'n vader, dat was een type van dat we thuis rustig vijf minuten aan tafel konden zitten en niks zeggen. Nu kreeg ik hele reacties van hem op mijn weblog of ik had hem een tijdje aan de telefoon als ik belde. Hoorde ik op de achtergrond: *'je hebt ook nog een moeder, hoor'*. M'n vader wilde veel weten en zei zelfs af en toe bezorgd: *'Kijk je wel uit?'*"

Eenmaal terug waren de reacties verschillend. 'Je bent wel veranderd, hoor', zeiden sommigen. Of juist helemaal niet. Ach, ik heb nog steeds de sarcastische humor, maar ben wel meer open geworden en gemakkelijker als het gaat om het dealen met probleemsituaties. Je kunt toch niet opeens 180 graden omdraaien. Eigenlijk weet ik niet of ik veranderd ben. Ik ben namelijk nog nooit 'gewoon' volwassen geworden. Als ik nou 30 jaar was geweest en dan verbrand was geraakt, had ik al een leven achter de rug gehad en misschien kunnen zeggen dat ik een ander persoon was geworden. Voor mij is het ook niet zo'n grote issue. Ik weet nog dat ik enkele maanden na thuiskomst uit het ziekenhuis van Antwerpen gefilmd werd voor een tv-uitzending van KRO's Kruispunt. Zat ik bij m'n ouders in de achtertuin, heel schuw, met een petje op. Weet je, wat is volwassen? Je ontwikkelt je sowieso wel.

Wat verwerkingsproces betreft, spreek ik natuurlijk voor mezelf. Hoe leg ik een ander uit hoe ik er mee om ben gegaan? Het is niet niks geweest. Misschien zijn er dorpsgenoten, die er nog dagelijks mee zitten, misschien is mijn geluk geweest dat ik nog maar een ventje was. Zo jong, zo naïef. Als ik 25 was geweest, had ik al een heel leven opgebouwd, met misschien een relatie, oudere vrienden en familie. Als ik nu jongens of meisjes van veertien jaar tegenkom, denk ik er vaak bij na: toen had ik 'dat' al meegemaakt.'

Bij terugkomst kon hij weer bij Grafisch Goed terecht. 'Ik was de ideale opvolger van mezelf. In eigen dorp werken vind ik prettig. Bij terugkeer zei iedereen: je zult wel behoorlijk moeten wennen. Maar ik vind het wel prima zo. Als je zo lang weg bent geweest en een heel andere manier van leven gewend bent geraakt, kan het best zijn dat je je bij thuiskomst misschien irriteert aan bepaalde dingen. Sommige reizigers zeiden dat ik bij terugkomst in een zwart gat zou vallen. Maar ik was overtuigd dat mij dat niet zou gebeuren, daar heb ik zelfs een weddenschap op afgesloten. Ik heb een geweldige tijd daar gehad, maar was blij dat ik terug was. Het is ook niet realistisch om dat vol te blijven houden.'

Voor zijn overzeese trip was hij al stukken sportiever geworden. 'Hardlopen, zwemmen. Inmiddels lig ik zeker drie keer per week in het water en ben ik twee keer per week te vinden op de atletiekbaan. In augustus heb ik aan een prestatietocht meegedaan, zes kilometer zwemmen in het open water van het IJsselmeer. Ja, we zijn goed bezig.'

VAN TRAGIEK NAAR HEROÏEK

LOU SNOEK

Samen met enkele dorpsgenoten kan hij worden gezien als de belichaming én verpersoonlijking van de Nieuwjaarsbrand. *Zijn gezicht veranderde, maar het straalt ondubbelzinnig charisma uit.* Lou Snoek (25) groeide uit tot een krachtige persoonlijkheid. Op een natuurlijke manier. Want hij is niet iemand die de wereld geforceerd wil laten zien wat er nog allemaal mogelijk is met een geschonden lijf. De mogelijkheden kruisen als het ware zijn pad en hij gaat ze niet uit de weg. 'Als andere mensen daar iets aan hebben, dan is dat mooi meegenomen.' Van tragiek naar heroïek. Om hoe hij eruit ziet, maar meer om wie hij is. Hij is de bescheidenheid zelve. 'Ik had liever een normaal lichaam gehad, maar wat er na 1 januari 2001 allemaal op mijn pad is gekomen, zou anders nooit zijn gebeurd. Ik heb de geboden uitdagingen aangepakt en momenten meegemaakt, zoals de twee beklimmingen, die ik m'n leven lang bij me zal dragen.' In 2004 stond hij vijftig meter onder de top van de Mont Blanc en onlangs reikte hij tot de top van de Kilimanjaro. Beide keren vergezeld door Belgische medici die hem tien jaar terug oplapten. 'Mensen in wiens handen mijn leven destijds lag. Normaal gesproken verwatert dat contact. Maar wij hebben samen twee expedities gedaan. Dat schept een band voor het leven.'

Hij is net terug uit Afrika. Na een geslaagde missie op en rond de hoogste berg van dat continent. 'Eigenlijk was er na de Mont Blanc bij m'n ouders thuis gezegd dat het zo wel mooi was geweest. Die beklimming in Frankrijk was niet ongevaarlijk en twee weken na onze thuiskomst overleed een landgenoot door een lawine. Omdat dorpsgenoot Tom Kwakman destijds door hoogteziekte de toppoging niet kon doen, bleef het kriebelen om nog een keer een berg op te gaan. Als je dan gevraagd wordt, ga je toch overstag. Om weer met zo'n ploeg op pad te gaan, dat is zo speciaal.'

Naast het omgaan met de natuur- en weerselementen, leverde hij het zoveelste gevecht met zichzelf. 'Ik was goed voorbereid qua trainingsarbeid. Maar als het om hoogteziekte gaat, dat kan iedereen treffen. Destijds overkwam het Tom, waarom zou het mij dit keer niet kunnen overkomen? Die twijfel gaat op een of andere manier met je mee omhoog. Tot de dag van de toppoging. Ik voelde me goed en kon me nergens meer achter verschuilen, ik moest het zelf doen.'

'Expeditieleider René de Bos had ons verteld dat het laatste stuk naar het zogeheten Stella Point, op 130 hoogtemeters van de top, slopend zou zijn. En dat klopte. Toen we daar aan kwamen, was ik helemaal kapot, had een kwartier nodig om te herstellen. Om ons heen haakten mensen met hoogteziekte af, werden tussen gidsen afgevoerd. Gelukkig kon onze groep de weg naar de top vervolgen. En daar was het geweldig!'

'Zes jaar geleden was het zo onwerkelijk, vlak onder de top van de Mont Blanc. Door de harde wind vertelde de gids ons plotseling dat we moesten omkeren. Dat was jammer, maar ik was er toch bijna dus de blijdschap was groot. De echte kick kwam echter pas toen ik beneden stond. Zo'n indrukwekkende ervaring. Ik wilde 's avonds eigenlijk niet naar bed, ik wilde niet slapen. Ik wilde iedereen vertellen dat ik daar zelf was gekomen. Terwijl ik mezelf geen bergbeklimmer mag noemen. Het was een bevestiging van wat mijn lijf nog aankan. Al moet men niet denken dat die bevestiging me zo bezig houdt, hoor.'

'Op de top van de Kilimanjaro wilde ik er wel met het volle besef van genieten en dat heb ik gedaan. Een enorme uitdaging, met een sportief karakter. Zo keek ik er vooraf naar. Eigenlijk net als door de ogen van ieder ander mens. Ergens ook wel beseffende dat het plaatje voor mij wat anders is, met mijn lichaam. Het is niet dat ik geen angst meer heb om al die gekke dingen te doen, op hoogte bijvoorbeeld en langs rotsen klauteren. Maar dan schakel ik een knop om en denk: dit wilde je toch graag doen: nou, doet het dan.'

De beelden van de ontberingen en omgevingen zullen blijven plakken, in het geheugen. 'Ik ben een wat gemakzuchtig persoon. Geen type die foto's gaat zitten uitzoeken voor een boek. Maar die foto van de groep op de top, die zal ongetwijfeld uitvergroot aan de muur komen te hangen.' Bewaarmomenten, dat zijn het. Zoals er een foto is van Lou tussen zijn twee zussen, vlak voor de Nieuwjaarsbrand gemaakt. Die hangt nergens, maar ligt ergens opgeborgen. 'Die foto, daar heb ik eigenlijk niks meer mee. Alsof het een foto uit mijn vorige leven betreft. Dat ligt ver achter me. De andere gezinsleden en dan met name mijn ouders, ze zullen de pijn waarschijnlijk altijd blijven voelen. Van hoe het was. En wat er allemaal gebeurd is. Zij hebben dagen en nachten aan mijn bed gezeten, in onzekerheid. Door het leven zo goed mogelijk te leven, probeer ik hen te laten zien dat het goed met me gaat. Dat ze zich geen zorgen meer hoeven te maken.'

Slechts flarden van die avond, waarop het leven van de enige zoon van het gezin Snoek aan een flinterdun draadje kwam te hangen, staan hem nog bij. Dat, toen het vuur ontstond, hij aanvankelijk de kant op ging, waar hij was binnengekomen. Maar uiteindelijk het pand via een bergingsruimte aan de achterkant verliet. 'Terwijl we *op het moment van* zo dicht bij die deur zaten. Maar dat besef was er niet. Wat ik van daarna nog weet is dat ik in een busje stapte met nog wat verbrande jongeren en naar een ziekenhuis werd gereden door enkele dorpsgenoten. Toen één van die jongens omkeek... die blik, de schrik in zijn ogen, dat vergeet ik nooit meer. Zo ernstig zag ik er dus uit.'

Aanvankelijk belandde hij in het Amsterdamse VU-ziekenhuis, waar zijn ouders hem niet herkenden en sieraden uitsluitsel moesten geven. Vervolgens werd hij vervoerd naar het Belgische Brussel. Zijn lichaam was voor 67% en z'n gelaat bleek voor 85% derdegraads en deels vierdegraads verbrand. 'Ik heb naderhand de foto's gekregen van vóór en na de operatie. Heb ik één keertje bekeken. Geen prettig gezicht. Die twee foto's schetsen mijn situatie van die tijd. Ik heb niet de behoefte om de rest te zien. Tenslotte ben ik niet in opleiding voor een functie in het AMC of een ander ziekenhuis', glimlacht hij.

Hij verloor een vriend (Peter Veerman), een klasgenoot (Ruud Steur) en een collega van zijn vakantiebaan (Nico Kwakman). Lou Snoek bleek over ongekende veerkracht te beschikken. Deed de mensen om zich heen daarmee versteld staan. Wende snel aan zijn 'nieuwe ik' en had een onaantastbaar positivisme. 'Als ik dan de dingen zie of lees, die ik toen gezegd heb. Dan denk ik toch wel van: nou, dat ik toen in staat was zoiets te zeggen en te denken... Zo positief als ik toen al was en nu nog steeds; ik vraag me wel eens af of dat zo geweest zou zijn, als alleen ik zó verbrand was geweest...'

'Die geestelijke en de fysieke pijn, die je moet ondergaan. Blijkbaar kan een mens veel pijn hebben. Het hoort kennelijk bij de overlevingsdrang. Ik heb er gelukkig altijd over kunnen praten. Met vrienden, met familie. En ook dan scheelt het weer als je zoiets met een hele groep mee maakt. Ik heb eens iemand op bezoek gehad die tijdens een oorlog totaal verbrand is geraakt en ik merkte dat hij bij ons thuis honderduit sprak, omdat hij nauwelijks of nooit een gelijke had getroffen en er dus veel minder over had kunnen praten. In onze vriendengroep kun je altijd je ei kwijt. Dat zal voor elke vriendengroep anders zijn, maar bij ons gaat het gelijk op tafel.'

'En dat geldt hetzelfde voor ons gezin. Altijd als we uiteten zijn of ergens gezellig zitten, dan komen de brand en de dagen, weken of maanden daarna altijd voorbij in het gesprek. Op een luchtige manier, maar er wordt wél over gepraat. Met de vrienden waren we vóór de Nieuwjaarsbrand – ook al waren we nog maar vijftien jaar oud – al heel hecht. Een tijd geleden zei één van ons nog dat hij nog regelmatig nachtmerries heeft met betrekking tot die nacht. We zijn eerlijk tegenover elkaar over hoe we ons voelen. Wat iedereen ook doet voor studie of werk, het zijn pientere jongens, met verantwoordelijkheid en verstand. We zijn meegegroeid met elkaar en het is een groep die tegenwoordig niet alleen meer tijdens een uitgaansavond tot het gaatje gaat, maar ook rustig met een wijntje erbij kan ouwehoeren over van alles. Dat vind ik mooi om te zien. Door de jaren heen is onze vriendengroep, met wel én niet verbrande jongens, heel hecht geworden. Alsof ieder zijn taak vervult binnen dat geheel, echt heel bijzonder.'

Voor altijd zal de Nieuwjaarsbrand voor die hechte groep ook gelijk staan aan het verlies van een vriend. Peter Veerman was qua percentage aanzienlijk minder verbrand, maar tijdens een operatie begaf zijn hart het, begin januari 2001. 'Een jaar vóór de Nieuwjaarsbrand waren we met een stel vrienden een bandje begonnen. Peter was daar ook bij. Als naam hadden we toen en nog steeds 'The Saboe Experience'. Ik ben de basgitarist. Ondanks het ontbreken van enkele vingers, heb ik leren gitaar spelen. Saboe is de bijnaam van één van onze vrienden, Louis Snoek.'

'Twee keer per jaar gaan we met de groep vrienden bij Peter's moeder op visite, op zijn verjaardag en sterfdag. Heel belangrijk. Het doet z'n moeder goed. En voor mezelf is zoiets ook waardevol, daar heb ik meer binding mee, dan dat ik zijn graf bezoek. Dan praten we samen over van alles, want in ons leven gebeurt van alles. Dan praat je ook over Peter en komt altijd de vraag wat er van hem geworden zou zijn. Die ramp gebeurde tenslotte aan het eind van ons 'jongetjes-leven'. We waren net begonnen aan het 'barleven'.'

Zoals hij zijn bestaan ook in tweeën opsplitst. 'In mijn ogen valt mijn leven in tweeën op te delen. Het leven vóór en het leven na de Nieuwjaarsbrand. Tien jaar is al een heel leven. Er is zoveel gebeurd. Ik kan zeggen dat ik een rijke jeugd heb gehad. De ontmoetingen met allerlei mensen, de dingen die we ondernomen hebben met vrienden, de festivals, de vakanties, verkering krijgen, de bouw van ons huis, het samenwonen, een parachutesprong, duiken, bungeejumpen, met onze band hebben we in allerlei bars gespeeld en gaan een cd opnemen. Én het beklimmen van de Mont Blanc en de Kilimanjaro. Die laatste twee behoren tot de mooiste ervaringen uit m'n leven.'

Hij verwondert zich over het feit hoe zijn geschonden groep zich manifesteerde. 'Weet je, destijds stonden we er niet zo bij stil. We deden het gewoon, samen. Maar als ik nu terug kijk, denk ik: hoe gek we eigenlijk waren dat we er schijt aan hadden dat we anderhalf jaar na de brand met een vriendengroep vol littekens gewoon op zwembroek het complex op liepen in het Spaanse Salou...'

Toen nog als vrijgezel. Maar de liefde liet niet lang op zich wachten. En de angst dat die onbeantwoord zou blijven, leefde niet bij hem. Ook voelde hij geen gêne, toen het moment daar was dat hij zich moest tonen aan zijn vriendin Anne. 'Eigenlijk is het voor mij nooit een issue geweest of ik wel verkering zou kunnen krijgen met een meisje. Als generatiegenoten wist iedereen hier van elkaar met wie er wat gebeurd was. En ik hoefde ook helemaal niet zo jong verkering. Het zou wel goed komen, zo dacht ik. 'Ik zie wel', dat is in meerdere opzichten mijn motto. Weet je, je kunt wel knap zijn, maar als je geen verhaal te vertellen hebt, dan verlies je toch ook aan aantrekkelijkheid. Ik kan me voorstellen dat andere brandslachtoffers er misschien wel mee zitten of hebben gezeten. Dat ik daar niet bij nadenk en zo gemakkelijk over doe, dat ontlokt wel eens de gedachten bij mij van: ben ik nou niet te simpel?' Zijn vriendin schuift aan. Lou: 'Ik heb mezelf na de brand altijd durven tonen, ook in het zwembad. En met Anne en haar vriendinnen raakten we al snel bevriend, dus echte geheimen had ik niet meer toen we iets met elkaar kregen. Ze zag me bij het zwembad. Achteraf gezien zijn het misschien logische vragen, over hoe zij zou reageren als ze me voor het eerst naakt zou zien. Maar ik heb me daar nooit druk om gemaakt. Als de relatie van mij en Anne nu, na enkele jaren, op de klippen zou lopen, dan heeft dat niets met de brand en mijn uiterlijk te maken.'

'Toen ik jong was, vóór de Nieuwjaarsbrand, riep ik wel eens: als ik later kaal ga worden, dan gaat al mijn haar er meteen af. Zei ik ook dat je niet alleen op het uiterlijk van een meisje moet vallen. En andersom een meisje niet alleen op het uiterlijk van een jongen af moest gaan. Vervolgens werd ik het niet veel later: kaal. En wist ik vanaf dat moment definitief dat een meisje niet vanwege mijn uiterlijk op me [zou] moest vallen...'

'Toen een van mijn vrienden, ook Peter Veerman genaamd, vervolgens verkering kreeg met Marga Smit, ook zwaar verbrand, was dat een bevestiging dat ook mijn vrienden niet anders naar mij keken.' Anne: 'Voor mannen is het uiterlijk van hun partner misschien iets belangrijker dan voor de vrouw. Ik leerde hem kennen binnen de vriendengroepen en begon hem steeds leuker te vinden. Had daarvoor al een vriendje die bij de Nieuwjaarsbrand gewond was geraakt en andere vriendinnen hadden ook vriendjes met brandwonden, dus bij ons was dat geen belangrijk punt, ik was het gewend. En Lou was breed, slank en had een mooie lach. En daarbij, zo'n liefde groeit. Ik zou nooit alleen om het uiterlijk op iemand kunnen vallen. Het hart is belangrijker. Tuurlijk, als iemand als David Beckham voorbij schiet op tv, dat ik denk van 'nou...' Maar dat heeft Lou ook als er een mooie vrouw voorbij komt. Dat is menselijk. Dat heeft niets met het 'verbrand zijn' te maken, dat heeft een 'gewoon' iemand ook.' Lou, glimlachend: 'Daar moet ik inderdaad tegen kunnen, anders moet ik in therapie gaan...'

Ogenschijnlijk gaan de dingen zoals ze gaan, gewoon. Laat het hem onbewogen. Terwijl het voor de buitenstaander zo ongewoon lijkt. Zonder logica. Iedereen die hem voor het eerst ontmoet, zal denken dat voor hem alles anders is. Dat het hem dagelijks of wekelijks nog raakt. Dat zijn nieuwe huid geen pantser is, of een schild, wat alles tegenhoudt. Hij kan de gedachten van een ander goed plaatsen. Van kinderen bijvoorbeeld. Uit zijn naaste omgeving en daarbuiten.

'Mijn nichtje Romy is zeven jaar en kent me niet anders dan hoe ik nu ben. Uiteraard hebben mijn zus en haar man alles aan haar uitgelegd en dat heb ik zelf ook gedaan. Nu ze ouder wordt, is zij enorm gefascineerd geraakt door de Nieuwjaarsbrand. Toen we laatst op de vliering waren om wat te zoeken, zag ze ineens de doos met kaarten, die ik van allerlei mensen heb gekregen in de eerste maanden na de Nieuwjaarsbrand. Heeft ze uren zitten lezen. Zij wilde krantenknipsels lezen, beelden van toen zien, ze wil zelfs een keer de ruimte in waar het is gebeurd, bar De Hemel. Terwijl ik daar zelf nog steeds niet ben geweest sinds de ramp...'

'Toen Romy drie jaar oud was, riep ze al dat ze dokter wilde worden. 'Mensendokter' of 'dierendokter', zo zei ze destijds.' Romy is trots op haar ome Lou. 'Ik heb me altijd afgevraagd hoe kinderen op mij zouden reageren. Was er ook een beetje bang voor. Op een gegeven moment weet je dat de confrontaties kunnen komen. Dan passeer je een groep jongetjes en hoor je de één tegen de ander zeggen: durf jij het te vragen?'

Vriendin Anne: 'We zagen de vriendinnetjes van Romy eens smoezen, toen Lou binnenkwam. Zo gaat dat. Vroeg een meisje: *'Ben jij een monster?'* Ging Romy staan. *'Nee, dit is mijn ome Lou en die is verbrand'.'* Zijn neefje Jim, vijf jaar oud, had nooit iets over het uiterlijk gezegd. Lou: 'Tot hij me eens meetrok omdat ik iets moest bekijken. Voelde hij natuurlijk dat er iets raars was, vingers ontbraken. Toen pas drong het door. *'Wat heb jij nou voor handen?'* En mijn andere neefje dacht dat de gaatjes naast mijn neus er zaten om onder water adem te kunnen halen... En vroeg zich af of het niet ontzettend zeer zou doen als er een steen tegen mijn kale hoofd zou komen... Dat zijn kinderen.'

'Ik denk dat deze generatie kinderen bewuster opgroeit. Via de beelden in de Volendamse straten en de verhalen van hun ouders kennen ze de situatie. Dat geeft ze wellicht een wijze les mee. Dat als er een siets in hun klas gebeurt met een klasgenoot, iets fysieks, brandwonden of een handicap, dat ze dan meer begrip en acceptatie voelen en uiten.'

'Ik wist dat ik reacties zou krijgen, van andere mensen en al helemaal van kinderen. Ik heb een soort van knop omgezet toen ik na een aantal maanden uit het ziekenhuis werd ontslagen. Kinderen zeggen nou eenmaal waar het op staat, ik ben tenslotte zelf ook kind geweest. Oudere mensen die me zien, denken het misschien, maar zeggen niets.' Anne: 'Toen we een weekendje in een vakantiepark waren, zagen we op een gegeven moment een jongetje met shirtje aan in het zwembad en hij keek vol bewondering naar Lou, die gewoon in zijn zwembroek liep. Bleek later waarom: toen in het bubbelbad het shirtje van de jongen wat opbolde, bleken daar ook brandwonden onder te zitten. Misschien dat hij zelf ook straks zonder T-shirt durft te zwemmen.'

Lou: 'Nogmaals, als ik alleen zou zijn geweest, of ik dan ook zo sterk was geweest, dat vraag ik me dikwijls af. Hier waren direct zoveel jongeren met brandwonden. Het eerste wat ik hier in Volendam meekreeg van mijn ouders, was dat er zoveel meer jongeren waren die 'het' ook hebben.'

Hij toog al snel door het dorp, met een boodschap. 'Aan het eind van dat jaar hebben enkele jongeren, waaronder ik, met behulp van Telegraaf-man Jaap de Groot en de Johan Cruyff Foundation, een eigen stichting opgericht, Volendam United. We organiseerden muziekevenementen en schoolstraatvoetbaltoernooien. Om dat aan te kondigen, gingen we dan samen met andere verbrande jongeren langs de scholen, zodat de kinderen bekend raakten met de gevolgen van de Nieuwjaarsbrand. Toen zag ik daar het belang niet zo van in, nu besef ik dat veel beter. De kinderen wisten wie en wat wij waren. Bovendien zorgde het voor een aantal getroffen jongeren voor integratie in de maatschappij, want naast de vrijwilligers hebben twee van hen er een baan aan overgehouden.'

'Het initiatief en die ervaringen hebben dus absoluut hun waarde bewezen. Voor veel jongeren heeft dat veel ervaring opgeleverd. Ik heb diverse mensen mogen ontmoeten, zoals bijvoorbeeld Johan Cruyff zelf. Dat is zó inspirerend. Wij assisteerden tijdens de Open Dagen van zijn Foundation en dan merkte je aan zijn interesse hoe oprecht betrokken hij was bij onze organisatie.'

Snoek werd van meerdere kanten gevraagd om zijn verhaal te komen doen. 'Destijds werd ik ook door een school in Amsterdam gevraagd om voor een MBO-klas een lezing te geven over wat er gebeurd was. Dat vond ik nogal wat, want ik was zelf nog maar zeventien jaar. Ik werd ook meegevraagd door de Brandwondenstichting om mee te gaan op kamp, met andere brandwondenslachtoffers. Maar daar had ik geen behoefte aan, in Volendam was ik elke dag al onder lotgenoten.'

De jongen werd na de Nieuwjaarsbrand al snel een man. Het onbevangen was er van af. Hij hoopt zelf ooit pappa te mogen worden. 'Een tijdje geleden had ik nog de onzekerheid, omtrent hoe mijn kinderen later op mij zullen reageren en hoe zij reageren op reacties die zij van andere kinderen krijgen, bijvoorbeeld als ik op het schoolplein kom. Maar de ervaringen met mijn neefjes en nichtje hebben dat eigenlijk al weggenomen. Dat ze zo open zijn, dat is juist het mooie aan kinderen. Ik hoop dat wat ze in dit opzicht leren, dat ook naar buiten gaan vertalen. Dat als een kind anders is, of er anders uit ziet, dat ze die gewoon als één van hen zien.'

'Waar ik bewondering voor heb, is dat verbrande meiden aan het werk zijn gegaan als juffrouw. Die staan elk jaar voor een nieuwe klas met kinderen. Ik weet dat één van hen haar verhaal uitlegde aan de klas, waar ook mijn neefje Jim in zat. Zei m'n zus dat ome Lou hetzelfde heeft als de juffrouw. Dat begreep hij niet helemaal. Want ome Lou is gewoon ome Lou. En de juffrouw had in zijn ogen toch iets anders.'

Nooit zal iemand hem nog achteloos voorbij lopen. 'Dat proces van nastaren, daar groei je in. In de eerste zomer na de Nieuwjaarsbrand werd er voor getroffenen en hun ouders een weekje uit naar Weert georganiseerd. Dat was eigenlijk heel goed voor iedereen. Daar werd je wel aangekeken. Dat doe ik tenslotte ook bij iemand die er afwijkend uitziet. Dat gebeurt gewoon. Je passeert en probeert toch nog een glimp op te vangen. Ik doe het dus wel genuanceerd.'

'En ik word niet zo gauw boos. Moet misschien zelfs wat vaker met de vuist op tafel slaan. Dat gebeurt eigenlijk alleen als me onrecht wordt aangedaan. En dat gebeurt niet zo vaak. Misschien omdat mensen toch wat beschermend voor me zijn, gereserveerd naar me zijn, vanwege hoe ik eruit zie. Of dat nou goed is? Want misschien doe ik in hun ogen iets fout. Wellicht is het beter dat ze die bescherming laten vallen, waardoor ik bijvoorbeeld beter besef dat ik het beter had moeten doen.'

'Mijn ouders zijn ook heel beschermend voor me. Maar ik was

nooit een moeilijk kind voor hen. Mijn vriendin Anne kan heel duidelijk zijn en dat heb ik nodig. Ik ben gemakzuchtig, komt ook een beetje door de brand. Maar ik moet soms toch beter begrijpen dat er iets bereikt moet worden. Ik vergeet nog wel eens wat. Het ligt voor de hand om de brand wat dat betreft als excuus te gebruiken. Maar het heeft meer te maken met het feit dat we in dit leven hard doorhollen en veel doen. Ik ben een rustige jongen, het zal bovenin niet zo gauw gaan tollen. Of dat gemakzuchtige en vergeetachtige nou in je aard ligt, of dat je verbetering aan kunt leren, dat zou ik wel eens willen weten', glimlacht hij ondeugend. En toont zijn tandenrij, die ongehavend uit het vuur kwam. In tegenstelling tot de rest van het aangezicht. Een innovatieve ingreep zorgde ervoor dat de contouren van het gelaat intact bleven. 'Integra, zo heet het. Van huid van overledenen, afkomstig uit de Verenigde Staten, is kunsthuid gekweekt en dat is eerst op onze gezichten gegaan. Als vierde en vijfde ter wereld zijn de gezichten van Tom Kwakman en mij daar in België mee belegd. Vervolgens kwam er een siliconenmasker overheen en is alles dichtgemaakt, zodat er geen bacterie bij kon komen. Weken later is het gezicht belegd met deeltjes van onze eigen huid, elders van het lichaam geschaafd.'

'Ze beleggen er inmiddels meer lichaamsdelen mee. Dit jaar hebben we die chirurgen en artsen weer vaker gezien vanwege het beklimmen van de Kilimanjaro. Vond ik super, want zo konden we toch weer bijpraten. Heel interessant, het zijn toch de mensen die je hebben opgelapt. Kunstenaars. Engelen. In de loop der jaren is mijn gezicht veranderd, verbeterd. De littekens zijn 'mooier' geworden, tussen aanhalingstekens. Rustiger geworden. Maar, ik heb het al eens eerder gezegd, je zult op latere leeftijd vermoedelijk nooit kunnen zien dat ik een zwaar doorleefd gezicht heb, zoals bijvoorbeeld Jan Mulder dat heeft.'

'Voor mezelf ben ik inmiddels een vertrouwd beeld, als ik het zo kan stellen. Het is tien jaar geleden. Wie ik ben geworden, is inmiddels een deel van mijn leven. Het voelt als normaal. Ik zat laatst te denken: zijn er nou dagen dat ik er niet aan denk dat ik verbrand ben? Dat zijn er inmiddels een hoop.'

'Ondertussen zijn we al zoveel verder. We hollen maar door, je leeft van moment naar moment. Maar ik besef heel goed dat ik geluk heb gehad, dat ik nog leef. Dat ze mij in België hebben kunnen helpen. Andere ouders hebben hun kind verloren. Ik kan me voorstellen dat zij zich afvragen wat er van hun kind van geworden was, als ze overleefd hadden. Sommigen waren bijvoorbeeld minder verbrand dan Tom en ik. Als ik daar wel eens aan denk, dan word ik er stil van...'

De Hemel, de plek des onheils, bleef als stille getuige achter. Snoek reed er naderhand vaak voorbij. 'Ik ben er sindsdien nog niet geweest. Ik mis het niet. Misschien dat als ik er ben, dat er dan heel wat anders door m'n hoofd gaat. Ik weet nog dat ik destijds een paar dagen vóór Oudejaarsavond belde, eigenlijk voor een plek in De Blokhut, de onderste bar van de drie barren. Bleek er alleen nog één tafel vrij te zijn in de bovenste bar, De Hemel. 'Zondagskinderen', zo werden we omschreven. Omdat we nog een plaatsje wisten te bemachtigen...'

Een plaatsje in De Hemel. Na die rampnacht werd wekenlang gevreesd dat hij echt zou gaan 'hemelen', maar zijn plaats was nog hier, hij mocht blijven. 'Zo wordt dat ook ervaren. Door mezelf. Door mijn ouders. Voor hen, mijn ouders en zussen, heb ik veel bewondering. Wat zij mee hebben gemaakt... M'n zussen Mirelle en Marina hebben het ieder in een verschillend dagboek beschreven. De één schreef wat korter, met power sprak ze mij als het ware toe, terwijl ik nog in diepe slaap was. De ander, Marina, is heel emotioneel, beschreef haar eigen gevoelens bij de situatie. Toen ik in april thuiskwam, hebben m'n ouders me aangemoedigd om beide dagboeken te lezen. Om te beseffen wat er in die tijd gebeurde toen ik er niet was. Dat maakte een hoop bij me los. Zeven weken lang spande het erom, of ik het zou halen. Tot ik mijn ogen open deed. Als je hen daar nu nog over hoort praten, besef je hoe aangrijpend het voor hen is geweest. En dat het voor hen ook goed is wanneer we er over praten.'

'Je hoort vaak, wanneer iemands ouder overleden is, dat het kind zegt: ik heb nooit de mogelijkheid genomen mijn dank uit te spreken. Bij ons heeft de brand dat versterkt, het uitspreken van dank. Wat zij hebben moeten verwerken in de tijd dat ik weg was... Toen ik wakker werd, stond er als het ware meteen een ploeg voor me klaar. We zijn sindsdien open naar elkaar en durven elkaar ook te omhelzen. Dat is niet zo Volendams. Helemaal als we bij elkaar zitten en het is gezellig met een borreltje, dan wordt het wel eens emotioneel.'

Erkentelijk is hij voor de momenten die hem de laatste jaren gegeven zijn. 'Het is zó anders gelopen. Als die brand nooit was geweest, had ik van jongs af aan het uitgestippelde leven verder geleid. Had ik de visgroothandel van mijn vader overgenomen. Tussentijds is dat door andere mensen overgenomen en ben ik daar gaan werken als administratief medewerker annex verkoper.' De familie Snoek deelde veel met hun naaste buren, de familie Schilder. Vader Jos Snoek en zijn buurman, wiens bijnaam 'de Buur' was, namen samen deel aan aalrookwedstrijden of rookten paling op een markt en de vrouwen reisden mee door stad en land. 'De Buur' was tevens werkzaam in het bedrijf van Jos en was collega van Lou. Groot was de ontsteltenis toen hun buurman een week nadat Lou's ouders hun 25-jarig huwelijksfeest vierden, zelfmoord pleegde. Hij liet collega Lou en diens vader Jos, twee handen op één buik met de betreffende buurman, ontredderd achter.

'Tja...', denkt Lou terug aan dat niet te vatten moment van enkele jaren geleden. 'Het is gissen. Ik kan niet in iemands hoofd kijken. Ik zie het als een ziekte. Zo probeer ik er vrede mee te hebben. Die middag gingen we zoals elke werkdag met z'n tweeën in het busje naar het werk, naar de visgroothandel. Later heeft hij nog paling besteld om die samen met mijn vader ergens te gaan roken, zoals ze dat 's zomers ook vaak op het achtererf deden. Daarna is hij teruggegaan naar huis, zonder mij. En heeft hij het gedaan...'

'Dat laatste ritje naar het werk is nog wel een paar keer door m'n hoofd gegaan. Tuurlijk vroeg ik mezelf af of ik iets aan hem gemerkt heb. En waarom hij zoiets doet. M'n vader is een gevoelige man, die heeft er lang mee geworsteld. Het komt nog vaak ter sprake. 'De Buur' was geen klager. Dat hij niets heeft gezegd tegen ons, omdat wij al zoveel mee hadden gemaakt, daar geloof ik niet in. Ik geloof ook niet dat ik het wegstop, denk dat ik het verwerkt heb. Ik heb het gevoel dat ik op een gegeven moment heb omgeschakeld. Misschien is het een soort van beschermlaag... Best wel raar.'

Hij graaft niet te diep. Blijft pragmatisch denken. Maar ook op gevoel. Het geloof, dat staat vooralsnog niet al te dichtbij hem. 'We zijn katholiek opgevoed. Ik zie het als een leidraad en richtlijn voor het leven. Neem de tien geboden. Die zitten in het leven. Mijn ouders hangen het katholieke geloof veel meer aan, m'n vader gaat elke week naar de kerk. Het nieuwe huis van mij en Anne moest ook worden ingezegend door de pastoor, zo wilde mijn vader. Vroeger kreeg ik altijd een kruisje op mijn voorhoofd, voor het slapen gaan. Voor mijn vader is het een manier van dankbaarheid en stilstaan bij dat-ie om me geeft. Bij mij zal die spiritualiteit nog wel eens komen. Ik denk bij veel dingen: ik zie wel en het komt wel goed. Dat geldt ook daar voor.'

MOEDER MARIA

MARIA VEERMAN

Het maalde destijds door de gedachten van veel ouders. Hoe zou het gaan? Hoe zou het gaan als de verbrande kinderen zelf zouden uitgroeien tot vaders en moeders? Maar 'later', dat was zo ver weg. Sterker nog, kwam er nog wel een later? Evert en Jannig Veerman hadden tijdens die rampnacht van 01-01-01 in de zoektocht naar hun dochter vernomen dat zij, Maria, er niet zo erg aan toe was. Toen aan die kwellende onzekerheid een eind leek te komen, moesten zij in een Belgisch brandwondenhospitaal maar aannemen dat daar hun dochter lag. Verpakt als een mummie. De ogen gesloten, een slangetje door de mond en alleen de tenen licht zichtbaar. Na zeven weken kregen ze pas enig teken van leven. 'Toen' voelt soms nog als gisteren, maar is al weer lang geleden. En hun dochter is inmiddels moeder Maria. De eerste moeder met hoog percentage brandwonden. Een natuurlijke bevalling was haar niet gegeven en bij de opvoeding heeft Maria assistentie nodig. 'Het is een beetje aangepast', zegt ze zelf. Fysiek gezien althans, want vanuit het hart stroomt onbeperkte liefde richting Job (2) en baby Faith.

Faith. Vertaald: vertrouwen, geloof. 'Toepasselijk, maar niet daarom gekozen. Ik vond het een mooie naam', zegt Maria over haar 'kleine' grote geluk. In de kamer huppelt Job rond. Twee jaar, de bruine oogjes van zijn vader, een voortdurende lach die doet smelten. Hij schiet de bal snoeihard in het kleine doeltje. *'Messi'*, brabbelt hij. Dat heeft hij meegekregen van het WK voetbal, speler Lionel Messi van Argentinië. De levensvreugde straalt van hem af. Ongeremd en onbevangen.

Zo gold dat ook voor zijn moeder, Maria (24). Destijds scholiere op het voortgezet onderwijs aan het Don Bosco College in eigen dorp. 'Ik wilde kapster worden, was altijd al met haren bezig, van kleins af aan. Als hulpje was ik op veertienjarige leeftijd al te vinden in de kapperszaak.' Uitgaan was er op die jonge leeftijd ook al bij. 'Tijdens de Volendammer kermis, drie maanden voordat de Nieuwjaarsbrand gebeurde, zat ik ook in diezelfde bar De Hemel en kwam m'n moeder me een keer opzoeken. Haar woorden van toen zijn blijven hangen. *'Als hier wat gebeurt, kom je er niet levend uit'*, had ze gezegd.'

Andere getroffenen kunnen slechts delen van de rampavond oplepelen, sommigen kunnen niets meer na vertellen omdat de narcose, de morfine of de slechte toestand alles gewist heeft. Enkelen weten alleen nog dat het zo gezellig was en ineens letterlijk en figuurlijk het licht uitging, maar Maria weet nog elk detail van elke seconde. 'We zaten die oudejaarsavond met vriendinnen ergens thuis en vlak voor twaalf uur gingen we naar de bar. Ik zou en moest daar zijn, om twaalf uur. Ik was best 'puberig' in die tijd, deed vooral wat ik zelf wilde. Stapte ook in de eerste taxi, die ons daar naartoe bracht. De meiden in de tweede taxi zijn nooit 'boven' gekomen. Ik kon in de drukte nog wel via de Wir War Bar de trap op naar De Hemel en vlak voordat het Nieuwjaar werd, kwam ik binnen en ging aan de tafel in een hoek zitten, met meiden en een aantal jongens. Ik zat naast Nico Kwakman. Hij zou naderhand sterven omdat hij, toen de brand uit was, steeds het pand binnen ging om mensen eruit te halen. Misschien één keer teveel...'

Veel alcohol had ze die avond niet genuttigd. 'Ik was goed bij m'n positieven. Even na twaalven keek ik naar links en zag dat enkele jongens met sterretjes bezig waren. Zag ook hoe dat mis ging en de kerstversiering vlam vatte. Dat gevoel wat ik toen kreeg, kan ik zo weer voor me halen. *Dat vuur gaat toch wel uit? Dit is toch niet echt?*' Ik ging van m'n kruk en begon alvast te lopen naar de uitgang, drong mezelf langs een aantal mensen. Tot ik besefte dat ik de anderen ook moest waarschuwen en weer omdraaide. Voordat ik het wist vatte een groot deel van het plafond vlam en voelde ik dat mijn rug in de brand stond.'
'Iedereen viel om, een enkeling bleef in shock op zijn of haar kruk zitten en ging daarna pas naar de grond. De muziek stopte, het werd donker, er werd geschreeuwd en was het stil. Erg stil. Ik bleef bij en bleef ademen. Voelde dat er iemand op mijn arm lag. Ik kon geen kant op en dacht: ik houd mijn adem in. Dacht: *dit was het dan. Daar ga ik*. Ze zeggen wel eens dat je leven dan aan je voorbij flitst, maar dat was bij mij ook echt zo. Ook dat stukkie met die woorden van mijn moeder, die ze tijdens de kermis had uitgesproken, dat als hier wat zou gebeuren, je er niet levend uit zou komen, het kwam voorbij. Tot ik me bedacht dat ik niet op wilde geven. Begon te trekken aan de haren van het meisje dat op m'n arm lag. En ik moest mezelf losmaken van de vloer. Ik plakte namelijk aan de vloer vast, met m'n kleding en m'n huid. Mijn schoenen waren aan de vloer vast gesmolten en daar moest ik me ook uit vandaan rukken.'

'Het was zo onwerkelijk. Er kwamen mannetjes met mijnlampjes op hun hoofd naar binnen, de brandweer dus. Toen ik naar de uitgang gebracht werd, stond daar iemand beneden aan de trap, die tegen me zei *'wat zie jij eruit'*. Ik kon mezelf immers niet zien. Op de begane grond liep ik buiten op blote voeten door het glas van de ingeslagen ruiten. Bij de brandweerauto waren ze aan het vernevelen, maar ging de spuit soms vol aan en m'n vellen vielen eraf.'

Maria belandde tweehonderd meter verderop in bar De Molen, waar net als in de andere belendende bars tientallen jongeren werden opgevangen. 'Dorpsgenote Irene Schilder heeft me daar al die tijd bijgestaan. Omdat er jassen over me heen waren geslagen, heeft niemand kunnen zien hoe ernstig mijn rug er aan toe was. Het frappante was ook, dat ik er als één van de eerste slachtoffers was, maar als één van de laatste uit De Molen werd meegenomen. Ik kon niet lopen of bewegen, maar wel goed schreeuwen. Steeds riep ik een brandweerman of een hulpverlener, maar ik zag er schijnbaar nog 'bij de tijd' uit en werd niet meegenomen. *'Jij bent niet zo erg'*, zei een brandweerman. Maar ik kreeg het steeds kouder en op bepaalde plaatsen had ik helemaal geen gevoel meer.'

'Om me heen zag ik ook meiden liggen, die niemand bij zich hadden als steun.' Maria's moeder was ook driftig aan het zoeken. 'Mensen hadden gezegd dat ik in De Molen was, maar mijn moeder zocht iemand met blond haar en het mijne was zwartgeblakerd. Ze zag me dus niet. Uiteindelijk ben ik naar buiten vervoerd en heeft één van de koks van het café me in een toevallig aankomende ambulance – die vanuit Emmeloord arriveerde – gezet. De ambulancezuster probeerde direct infuus in te brengen, maar het lukte niet. Het vrouwtje raakte in paniek. *'Blijf nou eens rustig'*, riep ik. *'Geef me nou een zalfje, dan kan ik naar huis'*, zei ik. Ik besefte niet hoe erg het was. Terwijl alle huid van m'n rug was weggebrand en m'n longen enorm beschadigd waren door het inademen van de rook.' 'Aangekomen in het AMC zag ik de verpleegsters zich verkleden, die kwamen zo van een oudejaarsfeestje af. Vervolgens hebben ze met meerdere mensen lopen wroeten in m'n lichaam om het infuus aan te brengen. Tot het eindelijk lukte, in m'n lies. *Je gaat eventjes slapen*', zeiden ze... Tot ik wakker werd met slangen in m'n lichaam, vreemde mensen om m'n bed had, die me Marja noemden. Ik begreep het niet. Ook niet al die kaarten die aan de wand hingen. En ik maar denken dat het 1 of 2 januari was. Maar het was 17 februari en ik lag in Brussel, België.'

Daar, het Militair Hospitaal, op 1 januari 2001, waren haar ouders naar doorverwezen en troffen ze achter het glas staand hun dochter aan, totaal verpakt in drukverband. Zonder enig spoor van herkenning. 'Eenmaal ontwaakt, brak de periode aan dat ik vanwege de morfine en narcose allerlei gekke denkbeelden had. M'n ziekenhuisbed stond in een grasveld, dan had ik opeens een waslijn in m'n kamer hangen, het was een heel andere wereld. Het werd de wereld van één stap vooruit, twee achteruit.'

Drie keer werden haar ouders opgeroepen, omdat het einde leek te naderen. Moeder Jannig: 'De eerste keer stonden we op 3 januari te condoleren bij ouders die hun kind hadden verloren en ging de telefoon. Moesten we direct naar Brussel. Je vraagt in die situaties steeds aan doktoren hoe het met haar overlevingskansen staat. M'n man Evert wilde eigenlijk niet dat ik het vroeg. Zeiden de artsen *'twee tot zes procent'*. Kwam Evert meteen: *'waarom vraag je dat nou?'* Ik bleef heel positief, hield me vast aan de overtuiging dat mijn overleden moeder mijn dochter Maria wel zou terugduwen bij de hemelpoorten. Evert had angst voor de werkelijkheid. Ik bad steeds tot Onze Lieve Heer dat hij ook maar een beetje houvast kon krijgen.'

'In dergelijke situaties reageert nou eenmaal niet iedereen hetzelfde. Hij had moeite met elke tegenslag. Toen Maria na zeven weken bijkwam, was Evert echter de rust zelve en durfde ik haar kamer niet in, uit angst dat het leven uit mijn lichaam zou glijden als ik haar daar van dichtbij zo hulpeloos zag liggen. Ik vond mezelf laf. Maar toen Maria eenmaal aansterkte, was ik er steeds om haar bij te staan. In Brussel is men heel ver gegaan in de verzorging van de jongeren. In onze ogen verder gegaan, daar waar de Nederlandse ziekenhuizen zouden zijn gestopt met de behandeling.'

Maria: 'Dat is ook de reden waarom ik in die bewuste nacht van 1 januari van het AMC in Amsterdam naar Brussel werd vervoerd. Per helikopter mocht niet, dat was te riskant. Het moest per ambulance, omgeven door vier motorpolities, zodat-ie de gehele weg de maximum snelheid kon rijden.'

Eenmaal ontwaakt, zeven weken later, begon de fysieke lijdensweg. 'In Brussel was het een vreselijke tijd. Omdat ik telkens in een bad werd gehesen, om de wonden schoon te maken. Elke dag weer was dat pijn lijden. Ik verzon allerlei smoesjes om niet te hoeven lopen, of dat ik niet gewassen hoefde te worden. Maar ik móést. At niet, omdat ik geen trek had en alles deed pijn. Maar ik móést, om aan te sterken. Als ik weer geopereerd moest worden – meer dan twintig keer in vijf maanden – dan vond ik dat niet eens erg. Want dan mocht ik vanwege de narcose weer een dag, of soms zelfs een week slapen en hoefde ik niet door die pijn heen van het wassen en lopen. Dat was namelijk dagelijks een marteling.'

Bovendien voelde zij zich volledig overgeleverd. 'Ik ben een type die niets uit handen wil geven. Een controlfreak. Maar nu was ik afhankelijk geworden, van alles en iedereen. Toen ik eenmaal in de gaten kreeg dat als ik probeerde te lopen en te eten, ik misschien zo aan zou sterken dat ik naar huis mocht, ging ik het wel doen. Als je mij niet dwingt, komt het vanzelf.' Maar er doemde steeds een complicatie op. 'Liep ik weer een infectie op. Dan denk je in dat ziekenhuisbed: hoeveel kan ik nog hebben? Dit kan toch niet? Dan zie je het soms even niet zitten. Kom ik hier ooit nog wel uit? Wekenlang lag ik helemaal ingepakt, zag je alleen stukjes teen. Daarna zagen de mensen die op bezoek kwamen een olifant, zoveel vocht hield ik vast. Die mensen dachten ook: *dit komt nooit meer goed.* En ik op oudejaarsnacht maar denken dat ik niet zo erg was...'

Bijna een half jaar duurde haar verblijf in het hospitaal. 'Vijf maanden lang heb ik in het ziekenhuis gewoond, geleefd. Laat ik vooropstellen dat de medici en verplegers en verpleegsters in België heel goed voor me gezorgd hebben. Ze vertelden alles, lieten me nooit in het ongewisse. Zeiden ook waar het op stond als iets niet goed ging, maar ze zochten altijd een oplossing, hadden een rustige vriendelijke benadering, in gewone woorden, geen moeilijke dokterstermen. De chirurgen die ons opereerden, hadden het steeds over 'onze kinderen'.'
Eenmaal terug in Volendam, was alles anders. Bovendien was het zomer. Het gevoel bij thuiskomst was tweeslachtig. De veilige eigen omgeving deed haar goed, maar die wereld om haar heen was wel veranderd en zij zelf ook. Het was geen kwestie van de draad oppakken van het oude leventje, dat van vóór 31 december

2000. Eigenlijk werd het maar nooit 2 januari 2001. 'Nog een heel jaar lang heb ik onder meer fysiotherapie gehad en – bijna – dagelijks kwam de Thuiszorg over de vloer omdat één van de wonden niet dicht ging. Het hield maar niet op. Ik had nog steeds niet mijn eigen leven.'

'Had bij terugkomst ook 'douchevrees' gekregen. Die wondverzorging, dat deed pijn, dus ik verzon van alles om maar niet onder de douche te hoeven. M'n moeder zou me verzorgen, maar die wond ik zo om m'n vinger, dus moesten er naderhand toch verpleegsters komen om het te doen. Ze stuurden steeds een ander en die begon dan weer een verhaaltje af te steken, in de hoop dat ik overstag zou gaan. Maar ik prikte er doorheen. Wilde het zelf in de hand houden.' Lange tijd was ze gekluisterd aan een rolstoel. 'M'n toenmalige vriend duwde me overal heen, verzorgde me, steunde mij in alles wat ik deed en snapte me precies. Iedereen deed zijn uiterste best het mij zoveel mogelijk naar de zin te maken, mijn ouders en zijn ouders deden verschrikkelijk veel voor me. Dat is in mijn ogen niet in dank uit te drukken omdat, toen het gebeurd was, zij de hele dag bezig waren met de zorg over en voor mij en hun leven helemaal omgegooid hebben.' 'Steun vanuit je naaste omgeving heb je echt wel nodig, anders kom je er niet. Die steun was voor mij veel beter dan al die geforceerde en vanuit het draaiboek voor rampen georganiseerde steun.'

Vanuit Nazorgcentrum Het Anker werd immers talrijke facilitaire support geboden. 'Maar ik wilde niet in een hokje worden geplaatst bij 'die verbranden'. Ik ben wie ik ben. Er werd van alles ondernomen voor de brandslachtoffers. Goed bedoeld en misschien voor een ander prettig, maar niet voor mij. Er waren ook al afspraken voor me gemaakt met de podotherapeut, logopediste en met de psycholoog. Maar ik zat er niet mee. Ik kon alles vertellen, gedetailleerd, en dat verhaal had ik in België ook al zó vaak verteld. Ik wilde verder met m'n leven. Ze probeerden me als het ware aan het huilen te krijgen. Soms had ik het gevoel dat de psychologe zelf een psycholoog nodig had. Maar ja, de dokter zei dat het goed voor me was om die gesprekken te voeren, dus zagen mijn ouders dat ook zo.'

Het zorgde voor een rits aanvaringen. 'Ik was niet altijd even handelbaar voor mijn ouders. Was nog puber en had veel meegemaakt. Maar ik werd zó afhankelijk van andere mensen. Alles werd voor me geregeld. Maar ik denk dat je ergens aan toe moet zijn. En niet voor iedereen gold dat het getraumatiseerd zijn, betekende dat je er dan enorm veel last van had in psychisch opzicht. Ze moeten inzien dat niet iedereen dat soort hulp nodig heeft. Iedereen bleef zich maar met me bemoeien. Tot ik op een gegeven moment m'n verhaal helemaal niet meer wilde vertellen.'

Bovendien wilde één van de wonden maar niet genezen. 'Heb ik er na anderhalf jaar zelf maar stiekem Dutimon-poeder opgedaan. En toen heelde het. Ik wilde mijn leven terug. Was er klaar mee, wilde met rust gelaten worden en ging me afzetten. Op een gegeven moment ben ik een loopje gaan maken en ergens gaan zitten. Werd ik in paniek gebeld op mijn mobieltje. Dachten ze dat ik weggelopen was en rare plannen had. Zag ik ondertussen familieleden in auto's voorbij 'sjeesen'.' Moeder Jannig: 'Wij wisten ook niet wat we er mee aan moesten en spraken met professionals van het nazorgtraject. Daar werd de mogelijkheid verteld dat we haar ook gedwongen konden laten opnemen, misschien zelfs op een psychiatrische afdeling. Toen schrokken we. Dat ging veel te ver.'

Maria: 'Hier in Nederland wilden teveel doktoren boven me staan, maar ik wilde eindelijk weer eens eigen baas zijn. Daarom hield ik me vast aan de Belgische medici. Die dragen niet eens naamkaartjes op hun jas met *'prof.'* of *'dr.'.* Die stellen zich gelijk aan jou. Daarom ben ik daar afgelopen zomer voor een correctieoperatie aan één kant van mijn lichaam heen geweest. Komend jaar volgt de andere kant.'

Ze begreep de bezorgdheid, maar die was haar inziens teveel omgeslagen in betutteling. *'Laat me gewoon even met rust'*, vroeg ik destijds aan iedereen. Andere jongeren wilden misschien wel hun verhalen delen. Weet je, je hebt het en het gaat niet weg. Als je te lang blijft hangen in wat er is gebeurd, dan word je gek. Tuurlijk heb ik er veel over nagedacht, maar ik kan het niet terugdraaien en het leven is *nu.* En natuurlijk, op het zwembad ben ik degene die verbrand is, mijn vriendinnen niet: dan vraag ik me best wel eens af *waarom?* Maar dat is het lot.'

Uiteindelijk stelt ze dat ze haar eigen leven terug heeft gekregen. 'Maar wel een veranderd leven. Je bent belemmerd. Mijn rug is zo slecht, dat ik de kinderen niet onbeperkt op kan tillen en dat ik niet uren kan staan of uren achtereen kan zitten. Ik dien steeds van houding te veranderen. Ook met slapen geeft dat problemen, ondanks dat ik een speciaal medisch matras heb. De pezen van mijn handen zijn dusdanig beschadigd dat ik ondanks pogingen het kappersvak niet meer kon uitoefenen. Ook al omdat het staan en zitten zo'n probleem gaf. Dus heb ik een kantoorbaan gezocht en ging er volle bak in, maar urenlang achter een bureau zitten ging ook niet. Dan moest ik daarna meteen thuis in de bank liggen of naar bed.'

'Het ging en gaat ook ten koste van het sociale leven, want ik kan niet overal bij zijn. Helemaal nu we kinderen hebben, heb ik veel hulp nodig. Ik probeer m'n dag te plannen, 's morgens zelf dingen op orde te krijgen voordat de kinderen wakker worden. Maar plannen met kinderen, dat gaat nauwelijks als ze qua leeftijd nog niet naar school gaan.'

De twee zwangerschappen vormden een lijdensweg. 'Er was me uit medisch oogpunt geadviseerd om jong mijn kinderwens proberen in te vullen. En eigenlijk wilde ik dat al van jongs af aan, vroeg moeder worden. Vanwege de bekkeninstabiliteit was de zwangerschap echter een zware tijd. Omdat veel huid van mijn lichaam getransplanteerd is, kan ik op die plaatsen niet zweten en houdt mijn lichaam al het vocht vast. Aan het eind van de zwangerschap scheurde er bovendien een buikspier. Ik had lichamelijk ondraaglijke pijn. En dan moest ik nog eens een kindje baren...'

'Dat kon niet op de normale manier, zo bleek. Liggen op de rug en de benen omhoog, dat liet mijn kapotte rug niet toe. Daarom was ik gedwongen een keizersnee toe te laten passen. De artsen hadden geen ervaring met deze situatie, maar wisten wel dat een normale bevalling met mijn lichaam te riskant was. Job kwam vijf weken te vroeg. Ik was blij, want ik zou worden verlost van mijn pijn. Maar de vraag was natuurlijk hoe blij hij zou zijn? Uiteindelijk is het een sterke en stoere jongen geworden. En vanwege die opkomende weeën voelde dat toch nog als een echte bevalling. Bij Faith werd er een dag en tijdstip gepland, werd ik verdoofd, volgde een keizersnee, werd ik wakker en lieten ze haar zien. Da's toch anders...'

Het van binnen en buiten beschadigde lichaam is zelfs immuun geworden voor bepaalde hulpmiddelen. 'Bij de eerste bevalling gaven ze een ruggenprik, maar die bleek niet te werken, dus dat hebben ze daarna achterwege gelaten. Pijn hoort bij m'n leven. Ik was altijd zo sterk als een paard, vóór de ramp. Misschien ben ik dat nog steeds wel. Anderen zeggen het. Een mens kan meer hebben dan je denkt en ik denk dat je krijgt wat je kunt hebben.'

'Ik ben wel harder geworden. Hou mezelf ook steeds voor dat er mensen zijn die het erger hebben dan ik. Ben ook in de veronderstelling dat ik, nu ik al zoveel voor m'n kiezen heb gehad, nog lang niet dood ga. Ik zit inmiddels op dertig operaties, inclusief twee keizersneeën. Tussendoor gebeuren er steeds rare dingen, complicaties. *Jij hebt alles wel gehad wat in de kraam te koop is*', zeiden de artsen tegen me. Dan opeens een allergie vanwege een bepaald medicijn, dan weer een andere bijkomstigheid. Op een gegeven moment moest ik er om lachen, ook al is het niet altijd even leuk.'

Tijdens de tweede zwangerschap was er de dreiging van een miskraam. 'Ik had zoveel pijn. En de doktoren konden niet vinden wat er aan de hand was. Uiteindelijk bleek het de galblaas te zijn, die verwijderd moest worden. Maar aan die operatie kleefde het risico dat de kans klein was, dat het kindje zou overleven. Ze waren een week aan het vergaderen, terwijl ik lag te vergaan van de pijn. Paracetamol hielp nauwelijks en een zwaarder medicijn kreeg ik niet vanwege de zwangerschap. Alle andere pijnen, van de jaren daarvoor, was ik eigenlijk alweer vergeten. Op een gegeven moment heb ik er zelf op aangedrongen dat die galblaas eruit moest. *'Het kindje gaat overleven*', zei ik overtuigd. Toen ik wakker werd, klopte het hartje inderdaad nog. En uiteindelijk is Faith geboren. Ik heb moeten lijden, maar heb er zoveel moois voor teruggekregen.'

Maar het echt deel uitmaken van de maatschappij, in de vorm van een baan, is er niet bij. 'Ik kan, qua werk, echt wel wat doen, dacht ik steeds. Maar lichamelijk voel ik me tachtig jaar oud, als een oud vrouwtje. Job snapt het al. Als ik aangeef dat ik moe ben en even moet liggen, dan zegt hij dat tegen zijn kleine zusje, als die geluid maakt. *'Mamma moet rusten'*, mompelt-ie dan. Mijn lichaam houdt als het ware zichzelf niet. Het gaat een paar uur goed. Sporten gaat helemaal niet. Je wilt het liefst alles zelf doen, ook je kinderen verzorgen. Soms vind ik het eng, als ik denk aan de toekomst, wat me nog te wachten staat. Tijdens de kermis kan ik niet met m'n zoontje in de botsauto.'

Daarnaast is het een kwestie van krachten doseren. 'In het sociale leven moet ik veel dingen aan me voorbij laten gaan. Als ik in een drukke omgeving ben, moet ik oppassen dat niemand tegen me aanstoot. Er zit gewoon een gat aan de zijkant van m'n lichaam, dan druk je zo tegen m'n nieren aan. Ik ben destijds tijdelijk overgenomen door machines. Naderhand hebben ze die nieren schoongespoeld en ben ik ook geholpen aan de gevolgen van de gassen en kankerverwekkende stoffen die we vanwege de verbrande kleding bij al die jongeren hebben ingeademd.'

Het geluid van haar stem klinkt 'gekraakt'. 'Komt door de littekens op mijn stembanden, vanwege de pijpjes voor het beademen die destijds steeds ingebracht zijn. Als mensen me aan de telefoon krijgen, vragen ze wel eens of ik een zwaar weekeinde heb gehad. En aan mijn linkeroor ben ik volledig doof, omdat er tijdens het wegkomen uit De Hemel iemand op mijn hoofd is gestapt en ik een kleine schedelbreuk heb opgelopen, waardoor een zenuw uitgeschakeld is. Als ik met mijn vriendinnen gezellig samen zit, dan vechten ze altijd om het plaatsje aan mijn 'goede kant'. Komt omdat ik zo gezellig ben', lacht ze.

Ze probeert wel steeds haar grenzen te verleggen. 'Verder te gaan dan ik kan. Je kunt niet wat je wilt, maar ik ga niet zielig lopen doen. Ben ook nooit echt emotioneel. Ik heb het anders beleefd. Kan me voorstellen dat mijn vriendinnen en ouders bijvoorbeeld in die nacht en daarna veel meer hebben gezien en dus veel meer hebben ervaren. Anders dan ikzelf.'

Zoontje Job komt ondertussen vertellen wat hij aan het doen is. 'De vragen van mijn kinderen over wat pappa en mamma hebben op hun lichaam, ze zullen nog wel komen. Als Job nu te dicht bij het fornuis komt wanneer ik aan het koken ben, zeg ik wel dat hij op moet passen en laat ik wel eens mijn verbrande handen zien, zodat hij weet wat er van kan komen. Mijn man Jan heeft ook wat brandwonden opgelopen en ik laat Job bewust wel eens wat littekens zien, maar hij ziet het verschil nog niet, wat lichamelijk letsel betreft. Dat zal straks wel komen. Hij is hier één van de eerste kinderen met een moeder die inwendig en uitwendig gewond is geraakt tijdens de Nieuwjaarsbrand.'

Als ze zelf niet met vragen komen, worden ze straks waarschijnlijk aangesproken door klasgenootjes. 'Kinderen kunnen hard zijn. Ze zullen straks op school ongetwijfeld aan Job en Faith vragen wat hun moeder heeft als ze mijn handen zien, of 's zomers mijn armen en benen. Maar daar zit ik niet over in. Het is tenslotte niets besmettelijks. Op het zwembad zie ik het best wanneer iemand naar me loopt te gluren. Laatst ging er gewoon iemand dicht bij me staan, starend, met kind ernaast. Dat vind ik dan minder prettig.'

's Zomers zijn de meeste ledematen onbedekt. 'Op andere momenten in het jaar gebeurt het regelmatig dat mensen zeggen dat het gelukkig alleen m'n handen zijn, die verbrand zijn. Die mensen zien niet wat er onder mijn kleding zit. Maar ik weet ook best wel dat ik mazzel heb gehad dat mijn gezicht niet verwond is geraakt. Er zijn veel brandwonden te zien, maar wat aan de buitenkant niet te zien is, is dat de binnenkant krakkemikkig is. Terwijl de geest wel wil. Het liefst zou ik gaan bungeejumpen. Maar ik ben bang dat na de vrije val alleen mijn voeten nog aan het touwtje hangen...'

Ze wil zichzelf soms verontschuldigen. Ingegeven door de veronderstelling dat ze anderen in haar omgeving tot last is (geweest). 'Omdat ik verbrand ben geraakt, zijn andere levens helemaal omgegooid. Ook dat van mijn toenmalige vriend. Hij is gaan werken tegen de grens van België om sneller en dichter bij mij te kunnen zijn en mij zoveel mogelijk te steunen. Want al is zo'n ziekenhuis bijna je thuis na vijf maanden, echt thuis ga je je er nooit voelen. Hij was er elke dag, zodat ik me niet alleen of verdrietig zou gaan voelen en was bijna mijn personal verpleger. Dat is een hele opgave geweest, om iemand te verzorgen die je vriendin is en lichamelijk zo erg is aangetast en bovendien niet wetend hoe de toekomst er uit zal gaan zien. Hij heeft zichzelf helemaal gegeven en nog een beetje meer. Ik ben hem zeer dankbaar voor wat hij gedaan heeft. Ik was een echt zorgenkindje, al wilde ik dat helemaal niet. Mensen in mijn omgeving weten nu hoe ze met me om moeten gaan.'

De band met haar ouders is steviger geworden. 'Ik zie mijn ouders bijna elke dag, ook vanwege de steun die ik nodig heb bij het opvoeden. M'n moeder zegt altijd: *'ik ben niet je vriendin, maar je moeder'*. Probeert toch een bepaalde afstand te houden. Ik ben het liefst elke dag bij hen. Wilde al wel jong op mezelf wonen, maar dat kwam niet omdat ik het thuis niet goed had.' Maria blijft hulpbehoevend. 'Terwijl ik er zo tegenop zie om iets aan anderen te vragen. Tegen operaties zie ik zelfs nog minder op. Er worden straks weer twee correctieoperaties uitgevoerd. Door de zwangerschappen is de getransplanteerde huid zo uitgerekt, dat veert niet meer terug. Die huid heeft veel te verduren. Nee, in de zon gaan is geen probleem. Ik moet mezelf en de huid dan heel goed beschermen, maar dat geldt toch ook voor 'gewone' mensen.'

Achterom kijken in melancholie, daar is ze te nuchter voor. 'Drie jaar geleden ben ik wezen kijken in De Hemel. Ik heb er niets mee, maar mijn ouders wilden heen en de ouders van Jan ook. Om te zien waar wij nou precies zaten en wat er gebeurd is. Ik kende Jan alleen van gezicht, maar tien jaar geleden lag hij op die bewuste avond van de brand, toen het vuur en licht gedoofd was, naast me op de grond.'
Jan vond wat eerder een 'veilig' heenkomen. Maria: 'Geloof me, de veiligheid is nog steeds niet goed in de uitgaansgelegenheden. Dat zie je en voel je aan. Niet dat ik het type ben, dat als ik ergens kom, meteen naar de bordjes kijk met 'nooduitgang'. Ik ben wel bang geworden voor vuur. Alleen al als er een sigaret opgestoken wordt, ben ik meteen scherp. Ik ken de gevolgen en die zijn niet prettig.'

Of er hulp van boven is geweest, hulp vanuit de hemel? 'Er moest wel iemand zijn die me zou helpen. Ik ben ook wel gelovig, maar ga daarvoor niet juist naar de kerk.' Ook al begrepen ze elkaar niet altijd, de voortdurende support van haar ouders was ook een vorm van geestelijke bijstand. 'Moeders zijn bezorgd, maar oma's nog meer, dat merk ik nu aan mijn moeder. Die leven bewuster, omdat ze weer verder zijn en meer hebben meegemaakt. Ik zit er nu middenin, 'het moeder zijn'. Ben niet betuttelend, als het om de kinderen gaat. Wel hard. Destijds begreep ik niet als puber waarom mijn moeder nou zo bezorgd was. Nu begrijp ik dat. En waarom ze destijds zei dat ik nog niet naar de bar mocht toen ik veertien jaar was. Nu kan ik dat beter overzien. Een kind, dat is van jou, daar zit jij in, daar moet niks mee gebeuren. Kinderen zouden jou moeten overleven als ouder.'

Haar moeder ontfermt zich weer even over haar twee kids. Job is behulpzaam. Maria: 'Als ik even heb gezeten om met hem te spelen, kom ik moeilijk rechtop. Dan wil hij me helpen, twee jaar oud. Dan breekt toch je hart. Tuurlijk hebben ze ook momenten net als elk ander kind, dat je even gek wordt van ze. Maar dat klopt ook wel. Zo waren wij vroeger ook en tenslotte worden het 'individuutjes' uit mij en Jan. Zoals van de zomer zou ik het liefst elke dag met hen naar het zwembad willen. Maar dat gaat niet. Bij thuiskomst ben ik helemaal kapot, dus dan moet ik weer een dagje overslaan. Maar ik probeer het wel steeds, want je wilt je kinderen tenslotte toch een leven geven. Zij geven me kracht.'

Net als haar man Jan, waarmee ze enkele jaren geleden trouwde. Bij de bijzondere dag hoorde een bijzondere aankleding. 'En ook een mooie trouwjurk. Ik was al eens bij Mary Borsato geweest. Vlak na de Nieuwjaarsbrand, toen nog met iemand anders mee. Ik zat nog in de rolstoel. Een paar jaar later was ik er dus weer, toen voor mezelf. Mary wist het nog. Vervolgens heb ik een jurk uitgezocht. Wel ééntje die al mijn littekens van brandwonden bedekte.'

Haar moeder: 'Toen ze trouwde in de Volendamse Maria-kerk, zat ze naast Jan op het altaar. Achter hen hingen in het hoekje de

veertien portretten van de tijdens de Nieuwjaarsbrand omgeko-
men jongeren. Dat was heel raar.' Maria: 'Vroeg een enkeling of ik
het niet erg vond dat die foto's daar hingen en misschien op mijn
bruidsfoto's zouden komen. Tuurlijk niet! Ik had er tussen kunnen
hangen. Dat mensen zo kunnen denken... Ik houd sowieso niet
van negatieve mensen.'

Zo werd ze vaker teleurgesteld door de mens. Bijvoorbeeld ten
tijde van de uitkeringen die slachtoffers kregen. Een Functionele
Invaliditeitsregeling werd opgezet, waarmee de getroffenen
financieel tegemoet werden gekomen door de Nederlandse overheid. 'Dat is een goede regeling geweest. Maar ik ben er nog lang
niet. Ben pas 24 en moet nog zo'n zestig jaar met dit lichaam en de
gevolgen van 'de brand'. Ik weet niet wat dat gaat brengen. Achter
mijn rug om bleek dat mensen wel eens zeiden: *zij kunnen wel*,
doelend op als ik iets aanschafte of ging doen wat geld kostte en
dat we geld genoeg hebben. Dan vroeg ik me af of diegene soms
even wil ruilen?'

'Ik leef in het moment, kijk niet steeds achteruit, maar vooral
vooruit. Als ik foto's van toen zie, denk ik: wat zag je er uit? Toen
zat ik nog met die nasleep. En heb ik ook best vaak gedacht van:
kom ik hier ooit weer uit?' In het eerste jaar na de ramp kwamen
er mensen op visite die om mij begonnen te huilen. 'Moet je niet
doen', zei ik, 'want dan ga ik juist daar weer om huilen'.'

Over het algemeen is ze geen emotioneel type. 'Nu het tien jaar
later is, dan weet je dat er weer media-aandacht komt. Een verhaal
in een boek is anders, maar voor de camera's, dat vind ik moeilijk. Veel mensen hebben me gezegd dat je in zo'n situatie een
soort van voorbeeldfunctie vervult, dat we een krachtbron zijn.
Maar ik zie mezelf niet als een verhaal. Wil ook niet steeds mijn

verhaal uitleggen, kleinzielig zijn. Terwijl ik zelf wel naar dergelijke tv-programma's kijk. Zie je bijvoorbeeld dat een kind snel een donororgaan nodig heeft, om te overleven. Of dat iemand zijn laatste wens in vervulling mag laten gaan, wetende dat hij nog twee weken te leven heeft en wat hem dus te wachten staat. De dood. Als ik destijds was gestorven, had ik er niks van gemerkt. Wanneer ik dergelijke verhalen op tv zie, dan kan dat me raken, dan kan ik emotioneel worden. Maar dat heeft iedereen toch?', verontschuldigt ze zich bijkans. Zoontje Job komt aangelopen, met een ondeugende lach op zijn gezichtje. 'Wat zijn wij?', vraagt Maria. 'Vrienden', zegt Job met een big smile.

ZIEL BLOOT, MASKER AF

JAAP VEERMAN

28 jaar nadat hij 'Mooi Volendam' bezong, kunnen de tekstregels van die evergreen nagenoeg naadloos op het huidige tijdperk worden geprojecteerd. Onbekommerd vertolkte zanger Jaap Veerman (bijgenaamd Corn) destijds het lied dat in eigen dorp voor altijd beklijft. Met de band Canyon vestigde hij tevens landelijk naam. In 1983 haalde 'Als ik maar bij jou ben' de top 40 en werd de meest gedraaide zomerhit. Het plotse overlijden van zoon Lennart tijdens de Nieuwjaarsbrand verdoofde elke noot in zijn muzikale aderen. Veerman belandde in een spirituele zoektocht. Ruim een kwart eeuw na 'Mooi Volendam' vormden het verlies en de verwerking daarvan de inspiratiebron voor nieuw muziekmateriaal en een definitieve comeback op de bühne. De twijfels om zijn verhaal te doen ('Er zijn zoveel meer mensen in onze gemeente die 'zwaar gepakt' zijn en wij zijn reeds in de publiciteit geweest') gaan even opzij. Hij vertelt over de hiaten in het verhaal van 01-01-01, het teruggetrokken leven, wraakgevoelens, groei, de band met zijn andere zoon Martijn, het verlies van nóg een kind en de tweeling waarvan hij pleegouder is geworden; iets wat hij iedereen zou willen aanraden.

De raamdecoratie van het rijtjeshuis verraadt dat het om mensen gaat met een verruimde inslag. Bovendien heeft de woonkamer een voor Volendamse begrippen iets eigenaardige inrichting, vormgegeven door de vijftiger en zijn Edamse vrouw Anja. Jaap: 'Ik weet nog goed dat er een vriendje van Lennart binnenkwam. Hij zag dat de keuken in het midden van het huis stond en merkte op: 'Dit klopt niet', zo klein als-ie was. Prachtige anekdote.'

Lennart. Hij was één van de veertien jongeren die stierf ten gevolge van de Nieuwjaarsbrand. Zonder brandwond. Vermoedelijk door ademnood of een hartfalen. De blik van vader Jaap gaat naar buiten. Hij graaft in zijn gevoel...

'Tja. Wat moet je nog vertellen. Ik heb mijn verhaal destijds voor de tv-uitzending van Kruispunt (KRO) gedaan. Moet je dan weer met je kop ergens in? Er zijn méér mensen die hun kind hebben verloren. Vóór ons, na ons. De omstandigheden waren voor ons dan wel anders. Maar het is net zo erg. Voor verdriet is immers geen graadmeter. Ik kan me voorstellen, dat andere mensen die op die manier zwaar 'gepakt' zijn, denken of hebben gedacht: waarom zij wel in het nieuws? Zij kregen minder aandacht. Ik kan begrijpen dat sommige van die mensen boos zijn geweest, wroeging hebben gehad.'

'Volendam stond toen in het licht van de media. Destijds heb ik het verhaal tevens gedaan om mensen die hetzelfde hebben meegemaakt, tot steun te zijn. Er is wel eens gesuggereerd dat in Volendam na 'de brand' sprake was van leedhiërarchie. Dat is opgeklopt. Voor andere mensen die destijds hun kind verloren, was het nét zo verschrikkelijk. Wij vielen toen in een zwart gat. Toen ik pakweg een jaar later 'wakker' werd, zag ik op de begraafplaats grafstenen van

andere kinderen. Dat besef drong toen pas door. 'Wat erg', dacht ik.'
'Inmiddels zijn we wel weer wat jaren verder.' Hij overdenkt zijn
woorden zorgvuldig. 'Ik heb wraakgevoelens gekoesterd. Op een
gegeven moment weet je niet meer tegen wie je dat moet doen.
Dan maar richting God. Ik heb nu geen woede meer. Af en toe
alleen het gevoel dat je iemand de schuld wilt geven. Ik vind het
onzin om God aansprakelijk te stellen. Zo van: anders had hij dit
toch nooit laten gebeuren? Zo'n wereld had hij toch niet laten
bestaan? Het bevreemdt me dat sommige mensen dat doen. Voor
iets wat we zelf als mensen hebben veroorzaakt. We creëren alles
zelf. Het leven is een proces. Bedoeld voor de mens om te evolu-
eren, om te groeien. Maar in deze wereld draait bijna alles om
uiterlijk vertoon. Het gaat juist om het innerlijke. Veel mensen
willen graag dat een ander het voor hen oplost, maar zo werkt het
niet, het moet vanuit je eigen kracht komen. Geholpen door God.
Maar eerst inzicht krijgen in jezelf. Dan kun je groeien 'Ik geloof
in God, maar vanuit mijn eigen gevoel. Niet zozeer volgens het
katholicisme, zeker niet na wat daarbinnen allemaal is gebeurd,
zoals onlangs is uitgekomen.'
'Na Kruispunt heb ik heel veel reacties gekregen. Mensen vertellen van alles tegen mij. Misschien omdat ik zo open ben geworden.
Maar als ze dan hun verhaal doen, krijg ik altijd aan het eind te
horen: 'maar dat wat jullie hebben, dat is erg'. Daar word ik ver-
legen van.'
'Bij elke ramp die zich voltrekt, wordt Volendam er op een of
andere manier wel weer bij gehaald. Mensen beginnen soms honderduit te praten en vergeten wel eens dat ik bij dat gesprek zit.
Misschien omdat ik mezelf uiterlijk goed profileer. Ik kan veel
hebben, maar als ze soms de Nieuwjaarsbrand erbij halen en over

details beginnen, dan kan ik voor een half uur instorten.'

'Je bent er nooit klaar mee. Maar je leert er mee om te gaan, zo kijk ik er tegen aan. Omdat het in de volksmond ligt, krijg je vaak de kreten te horen 'het krijgt een plekje' en 'tijd heelt alle wonden'. Nou, dat laatste gaat voor mij niet op. Maar zo blijft het vaak oppervlakkig. En als je dieper wilt gaan, dan doe je dat maar zelf. Of dat steeds moeilijker wordt? Als de gedachten opkomen van het moment dat Lennart thuis lag opgebaard en ik uren naar het levenloze lichaam van mijn zoon tuurde; dat wil ik niet meer. Maar soms komt het en kan ik het niet wegzetten. Dan kan ik ook niet slapen en moet ik het schijnbaar weer helemaal beleven.'

Aan diepzinnigheid geen gebrek, maar om af te dalen naar het dwalen in die ijzige nacht, dat kost moeite, dat kwelt de geest.

'Drie of vier keer nog maar was hij uit geweest. Hij vond het niks, want je kon elkaar niet verstaan in de bar, zo vond hij. Ik was vrij, had geen optreden. Anja en ik gingen in het huis van haar broer op de katten passen, Lennart zou bij ons thuis zitten met wat vrienden. Hij wilde niet de dijk op, maar hij zou nog wel zien... We maakten samen aan het begin van die oudejaarsavond nog een ritje over de dijk en hadden een vader-tot-zoon gesprek. Zagen grote groepen jongeren naar de uitgaansgelegenheid De Amvo gaan. We deden er wat lacherig over. 'Daar gaat de polonaise', zeiden we tegen elkaar. Dat hoefde van hem allemaal niet. Ik zei in m'n vaderlijke bezorgdheid nog: zoek anders een andere rustige kroeg op, om verstaanbaar te kunnen praten. Of als je vroeger gaat, heb je er minder erg in dat het drukker wordt. Zonder dat we het wisten ging hij met een paar vrienden toch om tien uur richting De Hemel. Ik hoorde van meiden van zijn klas, dat hij de avond van z'n leven had...'

'Wij zaten dichtbij, in het centrum van Volendam. Hadden zo samen onze voorgevoelens... Zoals meerdere ouders, bleek naderhand. Na verloop van tijd kregen we te horen dat onze oudste zoon, Martijn, het goed maakte. Hij lag wel met verbrande handen en nek in het Purmerendse ziekenhuis. Anja ging er heen, ik bleef achter. Hoorde maar niks van Lennart. Met bellen kwamen we er op een gegeven moment niet meer door. Ben ik op de fiets richting de dijk gereden. Met onderweg een slecht gevoel. Ik zag een aantal vaders gaan. Het was zó koud. Gewoon een gruwelijke droom.'

'Ik begon her en der te vragen. Of ze Lennart soms hadden gezien. Vroeg het aan politieagenten. Ik noemde zijn naam. Zag zo'n groepje agenten naar me kijken en werd erbij gehaald. Bent u meneer Veerman? De vader van Lennart Veerman? Dan voel je het al. Dan stort alles in. Ben ik op een bankje gaan zitten... Moest ik naar Anja toe. Moest ik het haar gaan vertellen...' Zonder te weten waar zijn zoon zich bevond. 'Er ging van alles fout door miscommunicatie. Weer zag ik meerdere vaders aan het zoeken. Wat daar aan de hand was, op en rond die dijk... Het was een nachtmerrie. De hel. Achteraf bleek Lennart al die uren in de kelder te liggen van mijn stamkroeg, De Molen. Een barkeeper heeft nog een kruis op zijn borst gelegd. Ze wisten niet dat het mijn zoon was...'.

Het einde van Lennart betekende het begin van het uitdiepen van het hoe en het waarom. 'In het begin hebben we alles willen uitpluizen, Anja en ik. Er zitten gaten in het verhaal. Maar die gaten wil je zelf opvullen en dan creëer je zo je eigen werkelijkheid, die misschien helemaal niet de werkelijkheid is. Vorig jaar kwam er een meisje op me af, die bij Lennart had gezeten nadat hij – inmiddels al overleden – vanuit De Hemel naar de nabijgelegen bar De Molen was gedragen. Ze wist niet of ze het moest vertellen.

Op zo'n moment wil je weten of er stukjes tussen zitten die je zelf nog mist van die nacht. Het brengt je weer van de rails, maar ik ben ook blij dat ze iets vertelt.'

'In die periode na 1 januari 2001 hebben we lopen reconstrueren, maar we liepen tegen muren op. Hij was zonder enig brandplekje overleden. Zijn broer Martijn zat ook in De Hemel, maar die is rationeel, die heeft geprobeerd te schuilen toen het vuur kwam. Lennart waarschijnlijk niet; die kwam net van de wc terug en is gewoon overvallen. En misschien gestikt. Dat weten we niet. Als zo'n meisje dan haar verhaal vertelt, drukt het van alle kanten tegen de binnenkant van mijn lichaam aan. Het is je kind. Die zit in elke cel van mij. Als je dan zoiets hoort, voelt het alsof het jezelf overkomt. Maar ik wil me er nu niet meer in begeven, het heeft geen toegevoegde waarde meer, dat spitten. Alleen op je sterke momenten wil je het weten.'

Maar de confrontaties blijven. 'Als gemeentebode op het stadskantoor van Edam-Volendam ben ik tevens ploegleider geworden van de BedrijfsHulpVerlening. We moesten laatst buiten Volendam bij elkaar komen, met BHV'ers uit meerdere delen van het land. Dan gaat het over brandjes stichten, over redden. Collega Mark Lansen, die ook in de Nieuwjaarsbrand zat, was er ook bij. De examinator begon weer over Volendam en kwam ook bij Mark terecht. Of hij er bij betrokken was? Ondertussen dacht ik: 'vraag het niet, vraag het niet...' Ik zal het best overleven, hoor, maar je zit dan toch weer even te shaken op je stoel. Volendam zal altijd bij rampen erbij worden gehaald, dat zal in lengte van dagen zo blijven.'

Hij nam hoofdwegen en zijwegen, maar kwam steeds terug bij de kern. 'Je hebt twee soorten rouwverwerking. Of je stopt het weg, of je gaat er doorheen en gooit het eruit. Binnen die twee varianten heb je ook weer allerlei onderdelen. Het is in mijn ogen geen keuze; je bent zo. Soms denk je: nu effe niet. Maar het kondigt zich nu eenmaal niet aan. Soms zie ik op afstand een jongen van een jaar of zestien fietsen en lijkt hij van de achterkant exact op Lennart. Soms heb je geen idee waar de herinnering die opdoemt, vandaan komt. Het hoort allemaal bij het proces.'

'Mijn vrouw Anja en ik zijn types die zichzelf na 1 januari 2001 helemaal hebben omgekeerd. Mijn 'grote gevoel' is 180 graden anders geworden. Soms gaat het noodlot je deur niet voorbij. Zo is het leven. Soms ben ik boos. Omdat ik het gewoon even wil zijn. Dat kunnen momenten zijn, dat kan ook uren duren. Dan ga ik 'googelen' op mijn computer en tik ik in 'het verlies van je zoon'. Op zoek naar gedichten of boeken waarin ik troost kan vinden. Boeken over het leven. Hoe schrijvers denken dat het in elkaar zit.'

'Cabaretier Freek de Jonge heeft ook een kind verloren en in zijn indrukwekkende gedicht richt hij zijn pijlen op God. Tja. Wij hebben een katholieke opvoeding gehad en werden al vroeg geconfronteerd met het geloof. Ik ben blij dat ik die gehad heb, het heeft me gevormd. Maar ik was al wel vroeg boeken aan het lezen omdat ik me afvroeg wat er is, over hoe het in elkaar steekt, de materie van de kosmos. Soms las ik teveel, ik was nog maar jong, dan kwam het me m'n keel uit. Maar het is nooit weggeweest, dat lezen. Het maakt je wijzer, schenkt je persoonlijk inzicht.'

'Het is een groei. Des te zwaarder de dingen die je meemaakt, des te bewuster je wordt. Dat is ook de bedoeling van het leven, althans, zo zie ik het. Ik heb situaties aangegrepen om in teksten van liedjes te verwerken. Dat geeft inzicht.' Ook in wat er die avond is gebeurd. 'Kijk, het is allemaal mensenwerk en dan kan het aan alle kanten rammelen. We zien wel vaker ongelukken gebeuren. Maar dan komen de vragen. Hoorde dit bij onze groei? Maar tot welke prijs gaat zoiets? Krijg je een blauwdruk mee bij je geboorte? Er zijn momenten dat ik er in berust. Maar ik ben geen atheïst, niet kortzichtig.'

'Na Lennart's dood ben ik sensitiever geworden, veel gevoeliger voor zaken. Ik heb het gevoel dat mijn ziel sindsdien meer naar buiten is gekomen. Veel meer dan mijn materialistische ik, mijn ego. Ik kwam los in mijn jasje te zitten, de ziel lag snel bloot en ik werd enorm open. Maar aanvankelijk deelde ik het alleen met mijn vrouw. Ik kwam daardoor wel veel beter in contact met mijn kind te staan.'

'Ik trok me na dat drama meteen terug uit het leven wat ik leidde. Dat leven bestond uit werk, muziek maken, uitgaan, het leven wat een mens normaliter leidt. Ik had daar geen behoefte meer aan. Belandde in een zoektocht. Sommige mensen zeiden dat ik een zonderling mens was geworden. Ze wilden me eigenlijk snel terug als degene die ik daarvoor was. Wilden me niet begrijpen. Dat heeft te maken met het feit dat die mensen zelf niet weten hoe het voelt.'

'Iedere ouder doet het na zoiets op zijn of haar manier. Ik wilde niemand mijn mening opdringen; wel als we met de ouders van de bij de Nieuwjaarsbrand overleden kinderen met pastoor Berkhout bij elkaar kwamen. Dan legde ik wel mijn bevindingen en mijn gevoel op tafel.'

Bepaalde confrontaties probeerde hij uit de weg te gaan. 'Er waren videobanden met beelden van die nacht en de weken daarna, er werden boeken gemaakt, verhalen geschreven, we kregen kaarten van mensen, de kranten, weer nieuwe boeken. 'Stop maar in de zwarte doos', zei ik dan tegen Anja. Ik weet nog dat ik vroeger als jongetje een bepaald bijgeloof had. In de bibliotheek had je een schap met boeken waarbij het woord 'dood' op de kaft stond. Dan hield ik mijn adem in en maakte een grote stap, zodat ik voorbij dat schap was. Je gaat er immers liever aan voorbij, de dood. Maar het hoort bij het leven. Dat besef komt wel.'

'De tijd verstrijkt. Maar het blijft een proces. Naderhand vecht je het meer met jezelf uit. Met Albert Steur (vader van de eveneens op 01-01-01 overleden Ruud Steur, EV) heb ik nadien ellenlange gesprekken gevoerd. In de jaren na de ramp hebben we met z'n viertjes, onze vrouwen erbij, alle kanten van het 'mens zijn' en het rouwproces belicht. En dat is heel goed geweest.'

'Wat mij betreft is het van levensbelang geweest, dat mijn vrouw al die tijd dicht bij me stond. Dan ga je er samen doorheen en is het ook niet erg als de één in gedachten even een andere kant opzeilt. Ik heb genoeg verhalen gelezen van mensen die na zo'n gebeurtenis zelf gestorven zijn van verdriet. Als ik het in mijn eentje had moeten opknappen, zou ik zeker zijn afgedwaald. Wij ondernamen de zoektocht samen en konden daarbij steeds ons gevoel aan elkaar overbrengen. Dat is een zegen.'

'De eerste drie jaar vormden een zwart gat. Het is toch sterk dat je daarna de kracht hebt om weer het normale leven – tussen aanhalingstekens – in te gaan. Ik nam me voor, toen dat gelukt was, me niet meer druk te maken om onbenulligheden. Maar toen het zo ver was, deed ik dat tóch. Het is ook weer zo, dat als je dat niet doet, je je niet in het gewone leven kúnt begeven. Anders word je echt een zonderling. Je kunt wel stellen dat ik bijvoorbeeld nu eigenlijk niet meer zenuwachtig hoef te zijn voor een optreden, maar zo werkt het niet.'

'Zonder alles wat ik heb meegemaakt, was ik nooit zover gekomen als ik nu ben. Maar het bizarre is dat je dat alles nooit hebt gewild. De eerste jaren na de ramp was ik zonder energie, ik wilde me niet in het leven begeven. Durfde in de eerste maanden geen winkels in. Droeg een masker op sommige momenten. Op die tijden profileer je jezelf als 'iemand'.'

'Je overweegt naderhand alles beter en pantsert jezelf als dat moet, maar wordt soms erg emotioneel. Op het stadskantoor ben ik als gemeentebode gaan werken en daar werken tal van jongeren die in de 'brand' zaten en flink geraakt zijn. Het praat gemakkelijker met hen, we zijn gelijkgestemden. Dat voel je van elkaar. Ze zijn nog jong. Dan besef ik me en merk soms aan de verhalen dat ze al wat worstelingen hebben doorgemaakt, maar die worstelingen nog steeds hebben en ook nog gaan krijgen. Daar heb ik zoveel respect voor.'

'Zij hebben ook hun strijd. Ik ben geboren met een 'open lipje'. Daar word je mee geconfronteerd als je een jaar of vijf bent en later op school word je er wel eens mee gepest. Ik heb er geen enorm trauma aan over gehouden, maar het is toch m'n leven lang een strijd geweest om het te accepteren. Als je dan ziet waar deze jongeren mee om moeten gaan, dan is dat van mij helemaal niks. Ongekend, hoeveel grenzen zij moeten verleggen.'

Of hij wel eens droomt over Lennart? 'Dat hebben mijn vrouw en ik allebei al regelmatig meegemaakt, net zoals ik mystieke ervaringen heb gehad. Zó echt. Het geeft aan hoe sterk je band met je kind is. Op elke vraag wil je wel een antwoord hebben, maar als mens kunnen we nou eenmaal niet alles bevatten. Voor heel veel dingen sta ik open en ik ben heel open. Zeg wel eens gekscherend dat ik teveel vrouwelijke hormonen heb. Je komt die openheid niet vaak tegen bij mannen. Misschien zit het wel in sommigen, maar houden ze zich liever gesloten. Waarom, weet ik niet. Voor mij werkt het bevrijdend.'

'Anja en ik vragen vaak antwoord aan Lennart. Als we ergens over moeten beslissen of iets moeten voelen. Is ook spiritueel. Ik geloof in dat de ziel immers niet verloren gaat. Maar besef dat ik het verlies en gemis zal moeten meedragen. Ook over dertig jaar zal het bij vlagen boven komen. En is het zwaar.'

'Het heeft mijn vader-zoon relatie veranderd. In elke cel van je lichaam zit jouw afkomst. Dat gaat eeuwen terug. Naarmate je ouder wordt, kun je elkaar dingen aanreiken. Lennart was zestien, dan verzet je je nog tegen je vader, hoewel dat al begon te veranderen. Je zag een keerpunt in zijn leven, naar volwassenheid. De jongen begon een man te worden. Het was prachtig om te zien hoe zijn karakter zich begon te vormen. Een openbaring voor ons als ouders. In het diepste van ons hart waren we trots op hem. Dat hebben we naderhand ook op zijn grafsteen gezet. Hij was al jong een uitzonderlijk type. Geen eenheidsworst. Had meningen over zaken waarvan je dat niet verwachtte. Ik weet nog dat als we derdewereldlanden op tv zagen, hij met onbegrip reageerde. Dat zoiets kon bestaan, terwijl wij zo zaten? Het was al een denker aan het worden. Op dat punt van zijn leven waren we aangeland.'

'Ik kon met mijn eigen vader goed 'bomen'. Maar ik wist dat-ie dieper kon en dat deed hij niet. Toen hij overleed was ik nog relatief jong en ik weet nog dat toen hij ziek en stervende was, dat hij zei: 'Ik wou dat ik even met mijn vader kon praten'...'

'In je evolutie als mens gaat het zo dat de zoon de vader moet kunnen verbeteren en andersom. Met Martijn heb ik nadien een hele goede band gekregen. Daar ben ik ontzettend dankbaar voor. En dat is ook een openbaring voor me geweest. Ik kan over van alles met hem praten. Al naar gelang hij er zin in heeft; dat heeft hij van mij. Na verloop van tijd heeft Martijn me meegenomen naar concerten. Belde hij ineens op om naar het North Sea Jazz Festival te gaan. Zijn we samen muziek gaan ontdekken. Hij heeft me daarom deels uit de put getrokken. Hij heeft ondertussen zijn eigen studiootje gebouwd en is een soulmate van me geworden. We liggen zó op één lijn. Het is diep gegroeid, ook dat is echt een zegen. Door al wat gebeurd is, is er een hele speciale band tussen vader en zoon ontstaan.'

Ondertussen leefde er toch het onderhuidse verlangen naar nieuwe uitbreiding van het gezin. 'Anja was nog jong toen Lennart overleed en Anja's moeder was 45 toen ze nog een kind baarde. Als het idee al bij jezelf leeft en andere vrouwen er ook over beginnen dat het nog best zou kunnen, dan zal dat de wens versterken. Anja was 43 en raakte weer zwanger. Maar na 25 weken moest ze bevallen. Het kindje bleek niet levensvatbaar. Madelène, zo noemden we haar, heeft nog even geleefd...'

'We hadden het terdege vooraf besproken met Martijn. En we waren sterk toen Anja weer zwanger was en het goed leek te zijn. Anja straalde. Het leek of we behept waren met ongekende kracht. Maar van het één op het andere moment was het over...'

Het was allemaal zo weloverwogen. 'Het was absoluut niet om iemand te vervangen. Meer een manier om het leven weer op te pakken. Om meerdere dingen te hebben om voor te leven. Ik weet niet of mensen dat kunnen begrijpen. Sommige mensen zullen een conclusie hebben getrokken, maar daar zit je niet mee. Het was een keuze. En belangrijk voor ons. Uiteindelijk belandden we wéér in een kerkdienst, een begrafenis in besloten kring. Je valt wel weer in de put. Maar je bent daar al geweest. Dat scheelt, merkwaardig genoeg. Want het was immers nog maar zo kort geleden. Uiteindelijk rest je de conclusie dat het niet zo mag zijn. Het gebeurt ook bij jonge ouders. We hebben het geprobeerd en als het telkens mis gaat, ga je dat avontuur niet nog een keer aan.' Naderhand zou de gewenste gezinsuitbreiding alsnog ontstaan, maar op een andere wijze. 'En nu, nu hebben we twee meiden rondlopen. Een tweeling. Pleegkinderen. Sinds vierenhalf jaar. Anja kwam met het gevoel, ze had er over gelezen. Dat zijn vrouwen. Aan mij was het eigenlijk al die tijd voorbij gegaan. Omdat er eerder een kindje op komst was geweest, zaten we al wel in die sfeer. Het is bizar, maar tegenwoordig geeft men al een cadeautje als je zwanger bent, dus we hadden al wat spulletjes gekregen en de baby was welkom. We vroegen ons af in welke kamer het zou gaan slapen. We waren al in zo'n ver stadium, vandaar naderhand de wens van Anja om pleegouder te worden.'

'Dat moet je eerst weer bespreken met je zoon. Misschien zal hij denken: 'wat heb ik voor een vader en moeder?' Het is tenslotte een 'Corn', onze bijnaam. En die hebben een geslachtstrekje, die kunnen met cynische en zorgelijke verbazing reageren. Had mijn vader ook. Zo van 'wat overkomt mij nou weer?' Maar ik moest er zelf ook goed over nadenken. Dacht ook van: waar komt ze nu mee aan? Tijdens de eerste bijeenkomst voor toekomstige pleegouders werd me al gevraagd hoe ik er terecht was gekomen. Je moet er open voor staan. Daarna hebben we meer bijeenkomsten bijgewoond. Zo'n stichting is enorm blij met je. Ondertussen kom je in een wereld die je niet kent: de pleegzorg. Je ziet filmpjes, leest, hoort verhalen. Bijvoorbeeld dat kinderen sterven door onhoudbare situaties. In Nederland. Zoiets zie je niet op het nieuws. Wij denken dat zoiets alleen in landen uit de Derde Wereld gebeurt.'

Veerman kwam in een nieuwe omgeving van ouder-kind relatie. 'Iemand zei tijdens de bijeenkomst: 'het is niet zoals dat je een tandem koopt'. Die uitspraak was voor velerlei uitleg vatbaar en zet je ook aan het denken. Je moet er met z'n tweeën op, stapt niet zomaar af en je ruilt 'm niet eventjes in. Er zijn meerdere vormen voor pleegkinderen: noodopvang, voor drie maanden, voor onbepaalde tijd. Dat is bizar: je kunt kiezen. Op leeftijd, of je een jongetje of een meisje wilt, gehandicapt of niet.'

'Als toekomstige pleegouders word je ook gescreend en 'bepsychologiseerd'. Ik was vooraf gereserveerd. 'Waarom bent u hier?' Op die vraag zei ik dat ik met mijn vrouw mee was. Ik hield afstand. Maar dat werkt niet. Als je toestemt, moet je gaan. Dan moet je je totale liefde geven.'

'Sommige pleegouders zijn wat ouder en kiezen daarom voor weekendopvang, omdat ze vanwege hun leeftijd er niet aan willen beginnen kinderen dagelijks om zich heen te hebben. Dat ging bij ons niet op. We hadden immers weer twee kinderen thuis. Zo voelde het. Martijn was inmiddels getrouwd en ook vader geworden, van Eva en Nick. Kleinkinderen tillen je gigantisch op. En met onze twee meiden erbij hebben we af en toe het huishouden van Jan Steen hier. Maar ik vind het prachtig.'

'Twee meiden... Het proces kon beginnen. Ze kwamen uit een gebroken gezin en hadden een achterstand. Maar dat is niet meer. En je gaat jezelf hechten aan die kinderen. Ik was er wel huiverig voor. Sommige mensen zeiden: 'wat doe je als ze op latere leeftijd bij je weg gaan?' Maar als je hier aan begint, moet je dat voor 200 procent doen. En dan ga je van ze houden.'

'Tuurlijk hebben we ook aan Lennart 'gevraagd' of hij het er mee eens was. Ons gevoel zegt dat hij het ons niet verweet. Anders zou je het ook niet doen, als het niet goed zou voelen. Ze zitten in dezelfde leeftijdscategorie als Eva, het dochtertje van Martijn. Dewi en Nina zijn zeven jaar. Een eeneiige tweeling. Dat maakt het bijzonder en grappig. Daar zit humor in. Ik heb er absoluut geen spijt van dat het zo gelopen is. Het valt mezelf op, dat als iemand me naar de tweeling vraagt, ik begin te stralen.'

'Het was Anja's idee en in het begin kon ik het ook niet stallen, maar ik ben nooit bang geweest dat het tussen ons in zou komen te staan. Toen niet en ook niet toen ze bij ons kwamen, in januari 2006. En wat de toekomst betreft, moet je de ontwikkeling afwachten. Het lijkt er echt op dat deze meiden helemaal bij ons verder gaan opgroeien; ik zie ze als mijn kinderen en zo moet het zijn. Anders kan het ook niet. Hoe apart het ook klinkt.'

'Anja legt maandelijks met de tweeling een bezoek af aan hun echte moeder. We proberen ondertussen veel aan de weet te komen, wat het verleden van het gezin betreft. En als de kinderen er aan toe zijn, komen ze vanzelf met vragen over hun echte ouders en kunnen we het hen dosisgewijs, de leeftijd in ogenschouw nemend, vertellen. Het is echt een verrijking voor mijn leven. Er liep een procedure om het voogdijschap te krijgen. Er is wettelijk bepaald dat de situatie elk jaar wordt bekeken. Dat hing telkens als het zwaard van Damocles boven ons hoofd. Het kind moet zekerheid hebben, een nest. Dat moet het hechtingsproces bevorderen. Inmiddels is duidelijk de twee meiden tot hun achttiende jaar wettelijk bij ons horen.'

'Ik kan met een gerust hart voor de pleegzorg pleiten. Want mensen die, net als wij, de ruimte hebben en voelen, zouden het eigenlijk ook moeten doen. Je moet het allemaal op je af laten komen, over valkuilen gaan nadenken doe ik niet. Je staat wel eens stil bij bepaalde facetten van de opvoeding en wat je te wachten staat, maar dat moet je loslaten en zeker niet in paniek raken, hoe moeilijk dat soms is. Tenslotte onderga je met je eigen kinderen dezelfde ontwikkeling. En er kan van alles gebeuren met kinderen, dat weten wij als geen ander. Maar dat is geen reden om jezelf te onttrekken aan het leven. Het leven moet je leven.'

Tja. Wat moet je nog vertellen...

'TOCH WEER EEN CD'

De ogen worden waterig. Over de installatie klinkt op een demo zijn stem, soms rauw, zelfs geschuurd, dan warm. Klinkt als Boudewijn de Groot, Cornelis Vreeswijk, Bram Vermeulen, niet voor niets zijn vaderlandse muziekhelden. Jaap Veerman bezingt zijn bagage. 'Dit wilde ik even kwijt. Maar het is breed, niet alleen persoonlijk.' Toch weer een cd. Die tien jaar na het grote verlies uit moet komen.

'Tot de ramp zich voltrok in 2001 was ik nog altijd professioneel muzikant. Met Canyon speelden we niet zo vaak meer in Volendam, maar door heel Nederland. Na het overlijden van Lennart werden uiteraard de optredens gecancelled. Maar na een maand moesten we alweer het podium op. Het 'feestgebeuren' hielden we nog even af, we deden alleen de popavonden. Ik heb het wel geprobeerd, zo'n feest, maar ik ging 'dood' op de bühne, het was totaal misplaatst.'

'En mensen dachten en zeiden: 'wat is-ie sterk'. Maar ze moesten eens weten. Je speelt een spel als artiest. Ik was 23 jaar lang prof. Dan gebeurt je zoiets. En kwam ik in de molen terecht van 'een man moet werken'. Totdat ik totaal instortte...'

'Het frappante was dat ik van jongs af aan muziek had gemaakt en zelf ook gek was van muziek, maar nu kon ik er geen enkele troost in vinden. Ik speelde en draaide niets. Mensen om me heen drongen bij me aan om weer muziek te gaan maken. En ergens diep weggestopt voelde ik ook wel iets in die richting, maar het was kapot. Ik kon de frequentie, de snaar, niet vinden als ik wel eens iets luisterde. Mijn gitaar verdween voor een paar jaar in de koffer. Terwijl ik tijdens enkele optredens na de Nieuwjaarsbrand zong als nooit tevoren. Maar ik kon er geen kracht uit putten. Het applaus hoorde ik niet, ik ging langzaam maar zeker kapot.'

'Klaarblijkelijk moet zoiets dan als het ware opnieuw beginnen. Mede dankzij mijn andere zoon Martijn gebeurde dat. Hij nam me, misschien bewust, mee naar concerten. Drie jaar had ik niets gedaan met muziek. Ondertussen schreef ik wel wat teksten over mijn gevoelens. Want wellicht zouden ze ooit nog bruikbaar zijn. Het borrelde ergens onderin, ik ging er weer kracht uitputten en ontdekte bijvoorbeeld recente cd's van Leonard Cohen, wiens teksten dieper gaan dan de liefde.'

'Het proces verliep langzaam. Ik probeerde het in een bandje met zoon Martijn, maar dat strandde aanvankelijk, het leeftijdsverschil speelde toch mee. Het was bij repeteren gebleven, maar vormde wel een startje. Tot dorpsgenoot Jan Mühren me vroeg mee te doen aan het 'Concert van de Eeuw', met allerlei Volendamse artiesten. Tijdens het oefenen bleek dat ik 'Mooi Volendam' niet meer kon zingen. Het ging vals, alsof het niet meer kon. 'Jersey girl' van Bruce Springsteen en Tom Waits bleek een goede keuze voor mezelf. Ik gooide alles eruit en heb daar ontzettend veel reacties op gekregen. Van jongens 'in de twintig', die eigenlijk niet eens wisten wie ik was, tot vrouwen 'in de zestig', die me kenden van vroeger. Vooraf had ik een gigagrote onzekerheid. Kon ik het nog wel? Ik stond er, maar stond er ook niet, op dat podium. Het maakte ongekende emoties los.'

'Ondertussen was Nederlandstalige muziek razend populair geworden. Mensen op mijn werk vroegen 'wanneer ga jij nou weer plaatjes maken?' Ik vond het moeilijk om de bevestiging aan te nemen. Ik twijfelde of ik er nog wel aan moest beginnen. Ik ben 53, dan zit je niet meer tegen de jeugd aan.'

'Je gaat terugdenken aan hoe het daarvoor ging. Met Canyon hebben we vier jaar platen gemaakt en voor tv en radio opgetreden, maar die wereld – de commerciële – was niet de mijne. Misschien dat het daarom ook nooit doorgezet heeft na de doorbraak. Bovendien zaten we in de verkeerde tijd. Nederlandstalig was toen 'not done'. Je moet je in dat wereldje kunnen manoeuvreren; wij wilden vooral muziek maken die we zelf leuk vonden om naar te luisteren. Datzelfde doen Jan Smit, Nick & Simon en de 3JS trouwens tegenwoordig ook. Die staan achter hetgeen ze maken.'

'Zelf landde ik op het punt aan dat ik iets met mijn liedjes wilde doen. Het materiaal is klaar en ik wil het – verantwoord – in eigen beheer uit-brengen. Als ik het zo doe, hoef ik mezelf niet op het commerciële pad te begeven. Al zal ik voor het uitgeven ervan wel op zoek moeten naar spon-sors. En al is er een kredietcrisis, ik weet absoluut zeker dat het me gaat lukken. Maar ik zal het wel zélf moeten doen. Daar hoeft geen manager bij. Ik ben perfectionistisch, het zit in mijn hoofd hoe ik het wil. Ik weet dat er mooie liedjes tussen zitten. Ik heb niet de X-factor, maar ik hoef er ook niet mijn brood mee te verdienen.'

'Je ziet het aan de 3JS. Die willen de diepte in met hun muziek. Maar dan heb je toch weer de commerciële wereld nodig, anders red je het niet. Mijn wens is dat er straks een volwaardig product komt, waarmee ik hoop mensen te bereiken. Met Canyon behoorden we eigenlijk tot de

grondleggers van de Nederlandstalige muziek; nu hoor je niet anders,
vooral hier in Volendam. Dat was toen niet denkbaar.'

Waar het eerder nog te vroeg was om met Martijn in een bandje te spelen,
daar spelen we nu als een eenheid. We hebben destijds met Canyon iets
gedaan met een uitspraak van Cees Veerman (alias Poes), toen hij wilde
stoppen met The Cats en zei 'Ik wil niet meer'. Geen camera's, geen auto's,
geen spotlights meer. Daar hebben we een song over gemaakt. We zochten
toen al meer de diepte en dat gebeurt ook met mijn nieuwe werk. Ik ben
nu heel serieus, niet meer honderd procent dezelfde, maar mijn humor is
terug. Het heeft lang geduurd, maar ik kan weer voor mezelf kiezen. En
ik ben weer actief.'

'Wellicht dat de cd rond 1 januari uitkomt. Dan zou er een wens in ver-
vulling gaan. De meeste jaren sinds de Nieuwjaarsbrand waren we op die
datum niet in Volendam. Voor zo'n herdenking van tien jaar na dato geeft
het twijfels. Je wilt niet op de begraafplaats overvallen worden door came-
ra's, maar met een rustig moment kunnen herdenken. Daarnaast werd
me gevraagd om tijdens een voorstelling straks op 1 januari, op de dag
van de herdenking, in Volendam het liedje te zingen, dat tijdens de begra-
fenis van Lennart werd gedraaid. 'Be Thou my vision', van Van Morrison.
Dat nummer heeft zoveel impact. Hij vraagt daarin aan God om kracht
te geven, hem staande te houden in de ellende. En die kracht krijgt hij
ook. Daarom zou ik het wel willen zingen, hoe moeilijk dat ook zal zijn.
Ik wil het zingen voor mijn overleden zoon en alle andere mensen die hun
kind hebben verloren. Als ik God zeg, denk ik niet altijd aan een vaderfi-
guur. Maar in dit lied moet God de vaderfiguur wel zijn. Hoe moet je het
je anders voorstellen? En kracht zal ik vragen, als ik dat lied ga zingen. En
dan wordt het me ook gegeven.'

VAN DE HEMEL NAAR AHOY'

SIMON KEIZER

Hij was destijds één van de jongeren met onzichtbaar leed. Daar waar vriend Nick derdegraads brandwonden aan de handen opliep, bleef Simon in die nacht van de Nieuwjaarsbrand gevrijwaard van waarneembare beschadigingen. Aan de buitenkant viel het niet te ontdekken, maar de binnenkant beefde en worstelde naderhand, omdat hij getuige was geweest van zoveel huiveringwekkends. Hij bracht een meisje van dertien, waarvan bijna alle kleding was weggebrand, naar de nooduitgang. Ze stierf een etmaal later. Een dorpsgenoot die van top tot teen verbrand op de grond lag, loodste hij ook samen met een vriend naar buiten. En dat terwijl Simon Keizer ruim een jaar eerder, op vijftienjarige leeftijd, aan het sterfbed van zijn vader Klaas had gezeten. Een kind was hij nog. Die op slag geacht werd een man te zijn. Zonder zijn voornaamste gids begon de zoektocht naar zichzelf. Ronddolend met zijn relaas en nog bestaande dromen, leidde het lot hem naar dorpsgenoot Jan Smit. Niet veel later veroverden Nick & Simon Nederland. Twee slimme studenten, die als jonge tieners op het voortgezet onderwijs tijdens muzikale schoolavonden reeds met gitaar, microfoon en Engelstalig hun talenten toonden, kregen het spreekwoordelijke zetje van hun dan al immens populaire dorpsgenoot. Inmiddels zijn ze trotse eigenaar van de Zilveren Harp, stonden enkele keren voor een uitverkocht Ahoy' en in 2009 scoorden zij liefst

vier nummer één-hits in één jaar tijd en tikte het duo de 380 optredens per jaar aan. De muziek als balsem voor de getekende ziel.

Eventjes de rust. In de hype die rond Nick & Simon is ontstaan,
is er zelden een moment van bezinning. Het is vooral doorhollen zonder al te veel achterom te kijken. Terwijl het pad naar het
podium tussenstops kende, met situaties die leeftijdsgenoten
dan nog niet hoeven mee te maken of alleen in een film hebben
gezien. De kwellende vragen van toen, werden opgevolgd door
een niet minder pijnlijk antwoord van de toekomst. Simon: 'In het
anderhalf jaar na de Nieuwjaarsbrand van 1 januari 2001 stapelde
alles zich op en kwam ik steeds in dalletjes terecht. Ik schreef
vaak gedichtjes over wat ik dacht of voelde. Eén van de titels van
zo'n gedichtje was: 'de tijd heelt alle wonden'. Ik weet nog dat ik
me destijds afvroeg of dat zo zou zijn. En daar kom ik eigenlijk
in het liedje 'Vaderdag', op onze nieuwe cd, op terug. Bovendien,
toen het eind 2009 tien jaar geleden was, dat mijn vader overleed,
heb ik een In Memoriam geschreven voor in de plaatselijke krant.
In tien minuten tijd had ik het op papier.' Zijn hart sprak.

Die gevoelens verwoorden en toevertrouwen aan het papier, dat
geschiedde reeds toen hij jong was. 'Ik voelde in de periode van
de puberteit dat het stom was als je, met je leeftijdsgenoten van
school om je heen, zei dat je later zanger wilde worden en liedjes
wilde maken. Dus hield ik dat maar voor mezelf. De teksten die
ik schreef, verweven in die gedichtjes, printte ik wel eens uit en
hing ze aan de wand op m'n kamer. Daar hing ook een spreuk, die
ik een jaar na mijn vaders dood en vlak na de Nieuwjaarsbrand
schreef: *'Niet de dag van de dood is de zwartste uit iemands leven, maar
het zijn de vele dagen die nog volgen'*. Dat geldt dus voor de nabestaanden. M'n zus Carina dacht dat ik het ergens had gelezen en had

gekopieerd, van bijvoorbeeld die bekende Loesje-spreuken. Maar ik had het echt zelf geschreven.'

Hij bladert terug in de tijd. 'De dag van mijn vaders dood zorgde eigenlijk – hoe gek dat ook klinkt – voor opluchting. Het lijden zat er op voor hem, hij had het zó zwaar gehad. Het zou anders zijn als zoiets geheel onverwachts zou gebeuren. Ik weet nog dat de coördinator van onze school me kwam halen uit de klas, om te vertellen dat ik naar huis moest. Mijn vader was overleden. Op dat moment zakte wel ál het leven uit mijn lichaam. Het was een moment waar we anderhalf jaar naar toe hadden geleefd.'

Een proces dat hij met weinigen kon delen. 'Eigenlijk begreep niemand me, omdat leeftijdsgenoten uit mijn omgeving niet hetzelfde was overkomen. Dus kon ik nergens terecht met mijn verhaal. En thuis waren we niet zulke praters. Mijn vader probeerde van alles om beter te worden, doktoren, alternatieve geneeswijzen. Daar werd thuis over gepraat. Maar de dood, daar werd niet over gesproken.'

'Eén keer nam hij me apart. Ik was me ervan bewust dat het een soort van afscheidsgesprek was. Hij gaf me levenslessen mee, voor later. Dat ik nooit aan de drugs moest gaan. Daar heb ik me aan gehouden. Dat ik mijn school moest afmaken. Daar heb ik me niet aan gehouden. En dat ik een lieve meid moest vinden, want *'van een mooi bordje kun je niet eten'*, zei hij. Ook daar heb ik me aan gehouden. Het zijn dingen van dat gesprek die zijn blijven hangen, maar het meeste ging het ene oor in en het andere oor uit. Ergens was het ook niet eerlijk. Want stel dat ik iets niet na zou komen, dan zou ik me schuldig voelen en kon ik mezelf niet verdedigen. Want hij was er dan niet meer. Maar ik snapte het wel, hij wilde het beste voor zijn kinderen. Waarschijnlijk zou ik hetzelfde doen. Ik zou willen, wanneer we later kinderen mogen krijgen, dat ze mijn vrienden worden.'

'Mijn vader en ik hadden de laatste maanden voor zijn dood redelijk veel 'quality time' samen. Gingen samen ergens een kop koffie drinken, speelden samen tafeltennis. Maar het onderwerp 'ziek zijn' werd gemeden. Ook om maar vooral positief te blijven. En mijn vader en ik waren allebei binnenvetters.'

De impact, de naweeën, ze werden door Simon naar de achtergrond verdrongen. 'Ik pakte snel de draad op, maar stopte het eigenlijk allemaal weg. Weet nog dat mijn neef op de avond van de dag van de begrafenis me belde, of ik zin had om te tennissen. Knap dat hij dat durfde te vragen. En ik ging. Want mijn leven was tenslotte niet opgehouden...'

Bij talrijke aspecten herkent hij zich in zijn vader. 'Het heeft me in één klap volwassen gemaakt. Ik weet nog goed dat een oom na de dood van mijn vader tegen me zei: *'zo jongen, nu ben jij de man in huis'*. Dat wilde ik helemaal niet horen. Maar ergens was het wél zo. Het zorgde ervoor dat ik al vroeg goed kon onderscheiden wat wel en wat niet belangrijk is in het leven. In de overwegingen, die ik daarbij maak, daar is m'n vader in terug te vinden. Ik heb ook veel van zijn humordingetjes overgenomen.'

'Hij hield van muziek, mijn vader. Zijn verjaardag en sterfdag, dat zijn de dagen waarop je nog wat meer aan hem denkt. Dat zijn ook de dagen dat we als gezin bij elkaar proberen te komen om iets samen te doen.' Maar vooral tijdens Vaderdag doet het zich voelen. 'Het is een nationale dag waar heel Nederland naar toe leeft, dus dan word je vooraf al zo'n dag of vijf met je neus op de feiten gedrukt.

Ik heb het inmiddels wel een plaats kunnen geven. Ben naderhand nog drie keer naar de begraafplaats geweest. Hij zit in m'n hoofd, hij ligt niet bij die grafsteen. Hoewel, als het graf binnenkort moet worden ontruimd vanwege plaatsgebrek, dan zal dat toch wel wat los maken bij me. Maar ik hang geen speciaal geloof aan. Geloof ook niet zo in wat sommigen zeggen, dat er *meer* is.'

Terwijl het eerste grote verlies nauwelijks was geland, werd hij getuige van het moment dat De Hemel in de hel veranderde. 'Ik dacht dat ik de dood van mijn vader verwerkt had, dus na de Nieuwjaarsbrand dacht ik: dat doe ik met deze ramp ook wel even. Maar ik had toen nog geen referentiepunt van hoe ver ik was met mijn verwerkingsproces. Er gebeurde iets zwaars, bovenop iets wat nog zwaarder woog, achteraf gezien. Ik belandde in een diep dal. Zei steeds tegen mezelf: *het gaat toch goed*. Tenslotte waren alle dierbaren om me heen er goed van afgekomen tijdens de Nieuwjaarsbrand. Eén vriend lag in het ziekenhuis in België, voor maanden. Maar iedereen leefde tenminste nog.'

Tot de herbelevingen kwamen. 'Ik begon er regelmatig 's nachts over te dromen. En in juli, zeven maanden na 'de brand', kwam Anja Kok, het veertiende en laatste dodelijke slachtoffer, te overlijden. Dat hakte erin. We hadden altijd een soort hangplek in Volendam, waar we stonden met vrienden en vriendinnen. Daar stond zij dagelijks bij. Ik sprak er echter met niemand over, was immers die binnenvetter. Het slapen werd steeds minder, op een gegeven moment twee uurtjes per nacht. Als iemand me aankeek, kon ik al janken.'

'Op een gegeven moment heb ik hulp gezocht. Bij een psychologe. Tja, een psycholoog, daar gaan toch alleen gekken heen, dacht ik toen nog. En ik was toch niet gek? Maar ik had het schijnbaar nodig. Bij de plaatselijke psychologe Gerda Buijs kon ik praten en janken. Bij de eerste keer viel er al een enorme last van m'n schouders. Alles kwam er uit. Ik ben er iets van zes keer geweest. Zo kon ik het afsluiten en een plekje geven.'

'Je vader is een deel van je, dat verlies draag je je hele leven mee. 'De brand' was een verschrikkelijk iets, maar qua verwerking ging het na verloop van tijd goed met me, dus wat dat deel betreft kun je wel zeggen dat de tijd wonden heelt.'

'Die psychologe en dorpsgenote Marian Stroek, ze vormden een klankbord voor mij. Een psycholoog is er voor jou, op het moment dat je niemand anders tot last wil zijn met jouw problemen.'

'Ik moest het gedetailleerd vertellen bij de psychologe, maar miste een stukje. Het stukje van het moment dat er paniek uitbrak, tot het moment dat het vuur gedoofd was en ik plots achter de bar stond. Ik wil het weten, maar misschien is het beter van niet.' Hij graaft in het geheugen. 'Ik zat in bar De Hemel aan een tafel bij het raam, met mijn rug naar de plek toe waar de kerstversiering vlam zou vatten. Het was een topavond en er ging behoorlijk veel alcohol doorheen. Misschien is dat achteraf gezien ook mijn redding geweest. Dat je daarom minder besef had en dat ik daarom ook zo rustig bleef in de paniek.'

'Ik weet nog dat het licht uitviel en het pikdonker werd. Iedereen dook naar beneden en ik weet nog dat ik de pols van een meisje vasthield, maar los moest laten.' Het vuur doofde, vanwege gebrek aan zuurstof. Maar het tekort daaraan zorgde er ook voor dat in het gedrang direct twee meiden kwamen te overlijden, niet ver van de tafel waar Nick en Simon en hun vrienden zich ophielden. 'Op een gegeven moment lag ik bovenop een stapel mensen. Op gevoel probeerde ik de uitgang te vinden, maar mijn oriëntatie was totaal verdwenen. Ik moest laag blijven, omdat ik al gauw de kerstversiering op m'n rug voelde. Opeens stond ik achter de bar, samen met mijn vrienden René Smit en Martijn Jonk. René zette de kraan aan, gaf aan dat het goed was om via het water zuurstof uit de kraan te zuigen. Dat voelde inderdaad goed.'

'Ineens hing er een meisje over de bar.' Liesbeth Buijs, dertien jaar was ze nog maar. Net binnengekomen, om vriendjes en vriendinnetjes Gelukkig Nieuwjaar te wensen. 'Je kon alleen haar ondergoed nog zien, de rest was witgekleurd. Achteraf gezien allemaal verbrand dus. Ze vroeg om haar bril. Bij haar drong de ernst ook kennelijk nog niet door. We hebben wat water over haar heen gegooid. Vervolgens hebben we haar aan anderen meegegeven.' Zij overleed nog diezelfde dag...

Omstanders die inmiddels op het dak van de bar beneden waren geklommen, sloegen het raam van De Hemel in, waardoor er plots weer zuurstof vrij kwam en de hulp op gang kon komen. Bij terugkomst achter de tap ontwaarde Simon een been onder het gedeelte waar de muziekinstallatie zich bevond. Het bleek Tom Kwakman te zijn. Die sprak de treffende woorden: *Ik zie je wel in de hemel*. Ook het lichaam van Tom was volledig verbrand. 'Alleen zijn riem kon je nog zien. We kregen steeds meer zicht op waar de uitgangen zich bevonden en hebben hem naar de nooduitgang aan de zijkant aan iemand overgegeven en daarna mocht ik van de brandweermannen niet meer naar binnen...'

Een half jaar later bracht hij een bezoek aan het Brussels Militair Hospitaal in België. Waar Tom Kwakman nog altijd bed hield, als langstliggende overlevende. *'Hier is mijn redder'*, zei Tom, toen Simon binnenstapte. Tom, wiens lichaam volledig verminkt raakte door de brand, had zichzelf, na een half jaar, nog altijd niet in de spiegel durven te bekijken. En vroeg Simon vervolgens of hij nog de Tom was zoals van vóór de brand. Simon: 'Dat was een heel bijzonder moment. Ik kon nog wel zien dat het Tom was. En ik voelde me geen reddende engel. Het is iets vanzelfsprekends wat ik heb gedaan.'

De film van die jaarwisseling staat voor altijd in het geheugen gegrift en kan hij te allen tijde helder op het netvlies halen. Toch doken ze met hun verhaal in het openbaar nooit de diepte in, Nick & Simon. 'Niet dat we het gemeden hebben. Het is tenslotte een onderdeel van je leven. Maar we hebben er zeker niet mee te koop gelopen. Meestal gaat tijdens een interview de vraag over 'de brand' naar Nick, omdat je aan zijn handen kunt zien dat hij 'er in' heeft gezeten. Aan mij zie je het niet. Dan zal de buitenstaander denken: hij was er op tijd uit. Maar we zijn er nooit te diep op in gegaan. Dat vonden we eigenlijk wel prima zo. Konden we ons concentreren op onze muziek.'

Hij heeft Tom later nog eens thuis opgezocht. 'Als je Tom ziet, of Lou Snoek ziet, dan denk je altijd aan 'de brand'. Dat is logisch, vanwege hun veranderde gezichten. Zij vormen een pure inspiratiebron, voor het dorp, voor Nederland, voor de hele wereld. Zij worden namelijk wél bijna elke dag geconfronteerd met 'de brand'. Als het niet door de spiegel is, dan is het wel door de mensen die hen nastaren. Petje af voor hoe zij in het leven staan.'

'In het eerste jaar na de ramp is er heel veel over gesproken binnen onze vriendengroep en met anderen. Ook omdat één van ons nog in het ziekenhuis lag en we beurtelings op bezoek gingen, was het steeds hét gespreksonderwerp. Na iets van anderhalf jaar was dat plots voorbij. Niemand begon er nog over. Het had iets weg van: en nu gaan we verder. Maar dat eerste jaar ben ik door een hel gegaan.'

Zijn vriendengroep is nog steeds hecht. 'Maar in de tijd van 'de brand' speelden we met zeven vrienden voetbal in RKAV Volendam A1. Dan zie je elkaar sowieso vijf keer per week. Dat vond ik het zwaarst wegen toen we later als Nick & Simon de muziek in gingen. De opoffering. Ik stopte met voetbal en van vier, vijf keer in de week je vrienden zien, ging het naar helemaal niet meer je vrienden zien. Dat viel me zwaar, omdat ik er nooit bij stil had gestaan. Ineens werden Nick en ik in het diepe gegooid en we hadden meteen groot succes. Nu is er ook nauwelijks tijd voor, maar zijn we er aan gewend. Het gebeurt nog wel eens dat vrienden een foto mailen van een feestje en de kratten bier, terwijl wij ergens in het land moeten optreden.'

Tijd om zelf regelmatig uit te gaan, dat laat het leven als artiest niet toe. In de sporadische gevallen dat het gebeurt, draait het om plezier maken. Alcohol kan dan de emotie triggeren. Zoals hem enkele jaren geleden overkwam. 'Ik kan me niet herinneren dat ik zomaar gehuild heb om wat er allemaal is gebeurd. Eén keer, na het slotfeest met de cast van de musical Jesus Christ Superstar, die we in Volendam twee keer hebben opgevoerd en waarin Nick en ik een rol speelden als apostel. Iedereen deed na afloop een woordje en er vloeide ondertussen alcohol. Opeens bedacht ik me dat mijn vader de voorstelling ook zo mooi zou hebben gevonden en prompt kon ik niet meer stoppen met huilen. Schijnbaar kwam alles er even uit. Behalve Annemarie zal niemand die tranen gekoppeld hebben aan het verlies van m'n vader, want dat was al zo lang geleden...'

Het merkwaardige is, dat hij, na een tijdlang te hebben rondgedobberd in de poel van ellende, tot gedurfde beslissingen kwam.

Die naderhand leidden tot ontmoetingen met grote gevolgen. 'Eigenlijk is na de dood van mijn vader wel het balletje gaan rollen', haalt hij de ontwikkeling voor de geest van wat tot één van 's lands grootste muziekacts zou verworden. 'Toen ik na het VWO aan een opleiding begon, bleek die nieuwe opleiding zich mooi te hebben verkocht, alleen toen het schooljaar begon bleek de inhoud ervan heel anders. Zo'n dertig leerlingen stopten al vroeg in het schooljaar, waaronder ik. Als mijn vader nog had geleefd, zou dat nooit zijn gebeurd. Ik keek zo tegen hem op: om het überhaupt in mijn hoofd te halen te stoppen, dat zou ik dan al niet doen. Ik weet nog dat mijn moeder terugkeerde van wintersport en vroeg of hier nog nieuws was. 'Ja', zei ik. 'Ik ben gestopt met school'. Ze moest lachen, maar het was de waarheid...'

Van het een kwam echter het ander. 'Ik had Jan Smit al enkele keren in het uitgaansleven gesproken en plotseling belde hij me. *'Jij hebt zeker overdag ook niets te doen?'*, vroeg hij. Dat klopte. Al snel deden we een bak koffie en na één week hadden we al samen een liedje geschreven, *'Stapel op jou'*. Later ben ik tweede stem in zijn achtergrondkoor gaan zingen.'

Wat school betreft, was hij stuurloos geworden. 'Ik vergooide het helemaal. En om daar thuis discussie over te voeren, dat vond ik het niet waard. Dat was geen puberteitskwestie, ik was gewoon onverschillig. Ik ging met Jan mee naar zijn optredens, legde me toe op het schrijven van liedjes voor zijn album en verwaarloosde op die manier ook de volgende opleiding waaraan ik was begonnen. Ook op die school werd ik bedankt voor bewezen diensten', glimlacht hij. 'Vervolgens meldde ik me aan voor de studie Commerciële Economie, aan de Hogeschool van Amsterdam. Daar zat in, wat ik altijd al wilde. Onder meer het opzetten van een marketingplan. Maar ook toen kwam er iets tussen: een carrière', glimlacht hij.

'Toen de eerste single *'Steeds weer'* een hit beloofde te worden, moest ik opnieuw op mijn moeder afstappen. Met het bericht dat ik ook met deze opleiding ging stoppen. Want ik ging de muziek in. Dat was de 'Derde Wereldoorlog' thuis. Met de agenda vol met optredens stapte ik op de decaan van de school af. Of het mogelijk was een deeltijdstudie daarbij te doen? *'Ik hoop dat je heel veel van muziek houdt'*, wenste hij me succes.'

Het bleek het startschot van een veelbelovende loopbaan, de wending in het leven die hij wenste. 'Ik heb twee jaar kunnen spieken bij Jan. Hoe hij zich presenteerde op het podium en daarbuiten. Toen bleek dat we in hetzelfde schuitje kwamen, bleek dat ik de ideale leerschool had gehad. Door te observeren weet je hoe je naderhand zelf moet handelen.' Vervolgens gingen Nick & Simon op eigen benen. 'We hebben alles zelf verzonnen, zelfs een marketingplan gemaakt en dat hele plan met het management van Volendam Music BV en platenlabel Artist & Company uitgewerkt. Daar dachten we steeds over na: hoe zet je jezelf in de markt? Naast mens en artiest ben je tenslotte ook een product.'

Nick & Simon, het kan de titel van een jongensboek zijn. Ze rijgen de hits aan elkaar en zijn geliefd om wat ze doen en wie ze zijn. 'Stilstaan bij het succes? Vanaf 3 oktober 2006 ben ik een dagboek bij gaan houden. Alleen verwerd het later tot een weekboek en tegenwoordig schrijf ik er één keer per twee maanden iets in. Het is eigenlijk een ideaal instrument om van de buitenkant tegen het succes aan te kijken. Want je leest later zo'n verhaaltje in het dagboek en dan is het net of je over iemand anders leest. Het is vooral gericht op Nick & Simon, met af en toe privédingen. Het is bijzonder om af en toe iets terug te lezen.' De trein dendert door. 'In 2009 hebben we vier nummer één-hits gescoord, in één jaar tijd. Waardoor we in een rijtje zijn terechtgekomen met The Beatles en The Bee Gees. Dat is toch niet normaal? Qua beleving van dat succes, laat je het moment vaak over je heen komen. Pas als een ander er soms iets over zegt, dan sta je er bij stil. *Hoe vond je dat en dat?*', zegt onze chauffeur Wietse dan bijvoorbeeld. Echt verbaasd, dat raak ik niet meer. Ook omdat er telkens weer wat nieuws, wat bijzonders gebeurt. Zodat je er eigenlijk steeds rekening mee houdt. Op het Museumplein tijdens Koninginnedag zaten wij in de reeks artiesten die voor 150.000 mensen mocht optreden. Fantastisch om mee te mogen maken.'

'Toen we in 2009 enkele keren voor een vol Ahoy' stonden, gebeurde er wel iets met me. Bij het eerste optreden was er familie aanwezig en vooraf vroeg een nichtje aan me of ik niet zenuwachtig was. 'Nee', zei ik. *'Heb je dan al binnen gekeken?'*, vroeg ze. Dat kon ik wel even doen. Dat greep me toen enorm. We hadden De Rijnhal in Arnhem bijvoorbeeld al gehad en ik dacht alleen: Ahoy', dat zijn er maar een paar duizend meer. Onze opkomst was vanuit het podium via een liftplatform. Dus vanaf dat platform zag ik al die mensen en kreeg ik een kippenvelmoment, dat ik anders nooit heb. Ik zag de namen van de mensen die al op dat podium hebben gestaan... Tijdens de eerste vier liedjes was ik verkrampt, vergat zelfs mijn tekst. Toen drong het wel goed tot me door wat er met ons gebeurde.'
Het succesverhaal heeft soms zijn schaduwzijde, als fans over de onzichtbare streep gaan, wat privacy betreft. 'Nick heeft het eens goed omschreven: *'Volendam is een pretpark en wij als groep artiesten, wij zijn de attracties'.*' Twee jaar geleden werd zelfs een wandelroute

langs de huizen van de Volendamse beroemdheden uitgestippeld. 'De afgelopen twee zomers stonden er echt vijfhonderd mensen per dag voor mijn huis. Ik had best een keerzijde van het succes ingecalculeerd, maar het gaat soms heel ver. Sommigen lopen gewoon de voorstraat op en gaan door ons raam staan gluren. Ik begrijp wel dat ze een glimp op willen vangen, maar dan voel je echt dat je nergens meer enige vorm van privé hebt.'

'Ik vind het moeilijk om een lijn te trekken. In het begin vond ik het grappig als er iemand aan de deur belde, om een handtekening van mij. Maar op een gegeven moment loop je 's morgens in je onderbroek de trap af en denk je halverwege, laat ik me toch maar eerst aankleden, want voor hetzelfde geld... Dus doe je ook niet zomaar meer open. Maar wat doe je als er kinderen van vijf jaar staan? Die snappen dat niet...'

'Ik weet ook wel: eenmaal buiten de deur ben ik Simon van Nick & Simon. Maar binnen is binnen en daar wil je graag rust en privé hebben.' Alles is nieuws en de (nieuwe) media voedt de hype. 'Laatst moesten we als ambassadeurs van Edukans ergens opdraven om daar over te praten met pers. Had ik net daarvoor op m'n twitter gezet dat ik vanwege een enkelblessure moest stoppen tijdens ons wekelijks partijtje voetbal. Gingen de vragen meer over die enkel, dan over Edukans. Zo snel gaat het en iets is al snel nieuws.'

In 2009 was er het auto-ongeluk in Andalusië. Het duo was er voor opnames van de clip *'De dag dat alles beter is'*. Op een berg begaven de remmen van de oude Plymouth Fury het. 'Opeens botsten we tegen de voor ons rijdende auto en bleek opeens dat onze remmen het niet deden.' De auto waarin het gezelschap zat, stevende recht op een ravijn af, maar kwam na een stuurmanoeuvre tegen de bergwand op, tot stilstand...

De schrik was hevig. 'Ik was als het ware weer even 'terug in de brand'. Dat je op een bepaalde manier de dood in de ogen kijkt. Dat was in dat opzicht het derde heftige moment in mijn leven. Het was meteen op het nieuws en diverse programma's gaven dagelijks een update. Meteen na thuiskomst stond er een cameraploeg bij ons op de straat, dan besef je ineens dat je een BN'er bent.'

Omdat tien jaar na dato memorabele momenten in zijn leven worden gemarkeerd, is hij openhartig. 'Wij willen het liefst de grens trekken bij muziek, praten niet zo vaak over onze privédingen. Ik begrijp dat de media voer willen hebben, maar ik ben het er niet mee eens. En hoef er ook niet aan mee te doen. Met de tegenwoordige media, internet, mobiele telefoon, twitter, je bent nóg meer publiek bezit geworden. Ergens denk ik nog dat ik het kan sturen. Tenslotte heb je in eigen hand wat je wilt delen met de rest van Nederland. Neem bijvoorbeeld Guus Meeuwis. Diens vrouw heb je toch nog nooit ergens in zien staan? Het kan dus wel.'
Toch bleef niet geheel buiten beeld dat zijn vriendin Annemarie (die destijds ook in bar De Hemel was ten tijde van de Nieuwjaarsbrand) dit voorjaar een zware operatie moest ondergaan. 'Ik was met Winston Gerschtanowitz bij de Champions League-finale aanwezig en die sprak over een zogeheten 'Body Scan'. Winston stelde: *'Waarom zou je een auto wel regelmatig laten keuren en je eigen lichaam niet?'* We hebben een afspraak gemaakt en na de scan kwam er iets aan het licht. Annemarie bleek in de lever een gezwel te hebben, ter grootte van een tennisbal, die verwijderd moest worden. Het bleek dat we er op tijd bij waren. Als het jaren later was gevonden, was het wellicht kwaadaardig geweest.'

'Weliswaar bleek dat het bij haar goedaardig was, maar toen ik zag wat het met Annemarie deed, besefte ik tevens wat voor klap het destijds voor mijn vader moet zijn geweest. Want hij ging destijds ook even naar de dokter, de uitslag ophalen. En kreeg te horen dat zijn gezwel kwaadaardig was en niet te genezen. Het was voor mij de zoveelste confrontatie met de dood. Ik kreeg flashbacks van toen, nu ik Annemarie zo zag worstelen. Wilde dat ik haar angst voor de operatie en pijn daarna kon overnemen. Want zowel de operatie als het hersteltraject was zwaar voor Annemarie. Gelukkig is alles goed gekomen.'

In de tussentijd kreeg de geboorte van een nieuw kindje gestalte, in letterlijk en figuurlijke zin. Zijn zus beviel eind september van een zoon. 'Dat zijn hele bijzondere momenten. Ook omdat het het eerste kleinkind van mijn vader had moeten zijn.' Daarnaast zag de vierde cd van Nick & Simon het levenslicht, 'Fier'. Op het nieuwe – direct al gouden en platina – album van het Volendamse duo prijkt voor het eerst een solo-song. *'Vaderdag'*. Opgedragen aan vader Klaas. 'Zowel op zanggebied als privé is het een *'Simon-liedje'*. Vaderdag keert jaarlijks terug. Alsof het hagelt op een zomerdag, zo voel ik me dan telkens. Ik was best onzeker over hoe de platenmaatschappij en het management erop zouden reageren. Luistersessies met dat groepje en met de liedjesmakers zijn meestal commerciële processen, daarom was het zo bijzonder dat er bij het horen van dit liedje een 'slikmomentje' was bij de toehoorders. Dat gaf me een goed gevoel.'

'Alles wat ik heb meegemaakt, heeft ertoe geleid dat ik goed gevoelens kan omschrijven. Ik heb enkele jaren geleden een liedje in het Engels geschreven en opgenomen, dat over mijn vader ging. Dat nummer ging meer over het ongeloof en het niet kunnen accepteren

ervan. In het liedje van deze cd klinkt door dat de acceptatie er wel
is, maar dat het gemis – zoals ik dat in de In Memoriam beschreef –
er nog is. Gemis is het verzamelwoord voor al die momenten dat je
er aan denkt. En dat wil niet zeggen dat ik dan depressief thuis zit,
maar dan word je er even meer dan je lief is aan herinnerd. Het is
een teken dat hij voortleeft in mijn gedachten.'

Gemis

'Tijd heelt alle wonden',
dat wordt wel eens gezegd.
Maar 'gemis' is niet een wond,
'gemis', dat is oprecht.
'Gemis', dat draag je bij je,
heeft een plekje in je hart.
Ook al krijgt je leven weer wat kleur,
dat plekje, dat blijft zwart.
Mooie dingen zijn gebeurd, in tien jaren tijd.
Mooie dingen, zonder jou, 'gemis' dat blijft altijd...

De zanger besloot enkele jaren geleden, toen zijn moeder ver-
huisde, het rijtjeshuis van zijn ouders te kopen en het samen met
vriendin Annemarie te betrekken. Inmiddels gaat hij zelf ook
verhuizen, maar verkoopt nog niet het speciale plekje waar hij
opgroeide. 'Wat je mist als je vader op zo'n jonge leeftijd overlijdt,
is een wegwijzer. Ik was nog maar vijftien. Er is een stukje jeugd
weggevallen. Maar m'n moeder heeft ons fantastisch opgevangen.
Zij is mijn vader en moeder in één. Terwijl haar ouders al overleden waren en zij op veertigjarige leeftijd haar man verloor. Met

twee kinderen van zeventien en vijftien jaar oud. Toen dacht ik nog dat je oud was, als je veertig bent. Maar nu weet ik beter. Ik heb een grenzeloos respect voor haar gekregen.'

Sinds 'de brand' is hij tijdens de jaarwisselingen nog maar twee keer in Volendam geweest. 'Alle andere keren vertoefde ik in het buitenland. Waar ik straks ook zal zijn, ik zal er als 1 januari aanbreekt, ongetwijfeld even bij stilstaan. Maar meer in de trant van: wat gaat het leven toch snel. Als Nick en ik er nog wel eens mee geconfronteerd worden, spreken we er op een luchtige manier over. Met vrienden komt het eigenlijk nooit meer zomaar ter sprake. Enerzijds wel raar, want als iemand er nog mee zou zitten, dan weten de anderen dat dus niet.'

'Ik probeer vooral niet te zwaar aan zaken te tillen als dat niet hoeft. Anderzijds laat ik niet zomaar het leven op me afkomen. Zonder de dalen waardeer je de pieken én het leven niet. Door alles wat ik heb doorleefd kan ik juist meer het geluk voelen. En ik ben erg gelukkig. Daarbij zie ik muziek als mijn vriend. Ik krijg er nooit ruzie mee en je hoeft er niet mee in discussie te gaan. Muziek kan stemmingen beïnvloeden, kan het versterken. Afhankelijk van wat je luistert. Onlangs is ons nieuwe album uitgekomen en niet eerder had ik er tijdens het 'maken-van-proces' zoveel zin in. Het is opnieuw je grenzen verleggen, ontdekken en zorgen dat het laatste puzzelstukje wordt gevonden als trigger om die radiohit te maken. De lat gaat hoog. Omdat Nick en ik allebei albums willen maken waarbij de luisteraar geen enkel liedje vervroegd doordrukt.'

STEEDS EEN NIEUW DOEL

GERRIE EIJLERS

Hij is een exponent van een uitzonderlijk talentvolle vriendenploeg, die in 2005 in de eredivisie met HV Kras/Volendam handbalkampioen van Nederland werd. Gerrie Eijlers was toen al een jaar eerder zijn droom als doelverdediger achterna gegaan en had voor een profbestaan in de Duitse Tweede Bundesliga gekozen. Een droom die in 2001 uiteen leek te spatten toen zo'n tien selectiespelers bij de Nieuwjaarsbrand betrokken raakten. Maar uitstel bleek geen afstel. Het grote doel werd verwezenlijkt, zowel door de ploeg als het individu. Want de verwonde handen heelden en drijven inmiddels wekelijks 's werelds beste schutters in de Eerste Bundesliga tot wanhoop. Eijlers, al jaren de onbetwiste eerste keeper van Oranje, vertoont in de sterkste competitie ter wereld bij onze oosterburen voor hallen met 4.000 tot 18.000 toeschouwers zijn kunsten. Aldaar kennen ze zijn achtergrond niet, weten ze niet van de moeilijkste 'wedstrijd' in zijn historie. 'Sommige medespelers vertel je het verhaal, zoals zij in Magdeburg kunnen vertellen over de 'Val van De Muur' en de tijd van Oost- en West-Duitsland.' De doelverdediger van nu roemt het sociale vangnet van toen.

Hij beschikt over een hoge pijngrens en is overtuigd dat fysiek ongemak na verloop van tijd vanzelf wegebt. Al snel plaatste Gerrie Eijlers daarom zijn eigen schade qua letsel in het perspectief van de grote chaos. Na vijf dagen kwam hij bij op intensive care. 'Toen ik ontwaakte in het ziekenhuis en mijn ouders vertelden hoeveel jongeren op dat moment overleden waren, was ik verrast. *Zó weinig*, dacht ik. Hoe goed andere jongeren daarna met 'de brand' en de gevolgen zijn omgegaan, dat heeft me ook verrast. Zo positief. Dat moet ook te maken hebben met de energie die de SSNV (Stichting Slachtoffers Nieuwjaarsbrand Volendam) en BSNV (Belangenvereniging Slachtoffers Nieuwjaarsbrand Volendam) en het nazorgcentrum erin hebben gestopt. In al die jaren bleef er maar post komen, met informatie en uitnodigingen voor bijeenkomsten. Ik heb het zelf niet nodig gehad, maar ik denk andere jongeren wel en mijn moeder maakt er nu nog gebruik van; in die zin dat ze af en toe met vrouwen samenkomt, zoals dat destijds ooit is begonnen. Dat is dus heel goed geweest, die nazorg.'

'Ik ben inmiddels zeven jaar weg uit Volendam, maar als ik er ben en ik zie of hoor hoe de meeste getroffenen functioneren, dat ze volledig op zichzelf zijn, vind ik dat bijzonder. Ik weet natuurlijk niet of iedereen zo goed is geïntegreerd, maar het verbaast me best wel dat het zo goed gaat met iedereen die zo gewond is geraakt.'

'Je projecteert het wel eens op jezelf. Ik had al op jonge leeftijd maar één doel: handbalkeeper worden in een grote buitenlandse competitie. Ik zou niet weten hoe het verder had gemoeten, als ik dat doel niet meer na had kunnen streven. Al die andere jongeren hadden wellicht ook een bepaalde toekomst voor ogen, maar dat zal misschien moeilijker bereikbaar zijn als ze zo getekend zijn. Op den duur rol je dan weliswaar in een nieuw traject, maar is dat dan wat ik had gewild? Was ik daar gelukkig van geworden?'

'In dat eerste jaar na de Nieuwjaarsbrand hoorde je de geluiden dat men vermoedde dat Volendam nog een hoop stond te wachten, de psychische klap die nog zou komen. De angst dat jongeren het misschien niet meer zouden zien zitten. Ik denk dat dat nog is meegevallen. Dat zal mede komen omdat het zoveel jongeren tegelijk overkwam.'

'Ik zie Volendam wel een beetje als een eiland in dat opzicht. Als de getekende jongeren buiten het dorp komen, voelt dat ongetwijfeld anders, dan voel je je klein als je zo bekeken wordt. Als je het met sport vergelijkt: wanneer je een paar slechte wedstrijden achter elkaar speelt, dan ga je denken en nog eens denken en wordt het steeds moeilijker uit die spiraal te komen. Dan moet er iets positiefs gebeuren, een goede wedstrijd bijvoorbeeld. Als die getekende jongeren steeds worden bekeken en zij raken in zo'n spiraal, hoe kunnen zij dat dan omdraaien in iets positiefs? In hun geval is het een kwestie van én innerlijk én uiterlijk. Ik heb een tijdje met Lou Snoek samengewerkt, één van de ernstig getroffenen. In het begin kijk je vaak naar die verwondingen, maar naderhand kijk je er doorheen, dan werk je gewoon samen.'

'Bij mij kun je het nog aan m'n handen zien, maar het belet me niet tijdens het handbal. Het is meer een hoestje in de maanden tussen maart en mei, dat ik als souvenir heb overgehouden. Bijkomend probleem is dat ik daarna in het doel een aantal ballen op m'n neus heb gekregen tijdens trainingen en wedstrijden. Sinds een tijdje kan ik daardoor alleen ademhalen door m'n mond. Je neus is je filter en nu vallen de luchtdeeltjes via mijn mond zo op m'n longen en houd ik dat hoestje.'

Het lichaam van de sportman is verder in uitstekende conditie en ondervindt geen naweeën meer van toen. 'Laatst hebben we bij de club een uitgebreid onderzoek gehad, inspanningstest, foto's enzovoorts. Het zag er heel goed uit. Maar het lichaam is wel sneller geïrriteerd zodra de weersomstandigheden vochtiger worden. Dat moet ik dan wel voelen.'

Vanwege de enorme drukte kon het talent van toen bij het naderende onheil weinig met zijn keeperskwaliteiten. 'Wij hadden op die oudejaarsavond eerst bij één van de vrienden thuis gezeten en waren net binnen, hadden het eerste glas bier nog in de hand. Tot ik zag dat er ergens achter in de bar iets mis ging. Ik wilde weglopen en draaide nog eens om. Ik zag het vuur en in hetzelfde moment kwam er een enorme zwarte wolk onze kant op. Die rook heb ik volop ingeademd. Al liggend kwam ik zonder lucht te zitten en ben ik even weggeweest. Onvoorstelbaar dat je systeem dan niet helemaal stopt. Ik heb bij het onderzoek van de commissie-Alders de simulatie van T&O gezien. Dat toonde aan hoe snel de ontwikkeling van rook en vuur ging, echt schokkend. Toen ik tijdens die nacht na die korte explosie van vuur en rook bijkwam, dacht ik dat ik één van de weinigen was die het overleefd had. Het was zo stil, dat ik dacht dat er allemaal doden om me heen lagen...'

'Ik weet nog dat ik eenmaal buiten lopend één van onze vrienden, Jeroen Weber, onze reservedoelman, aantrof. *'Mijn broertjes, m'n broertjes'*, mompelde hij, zoekend naar Mark en Frank Weber, terwijl Jeroen zelf behoorlijk gewond was geraakt. Ik was op dat moment mijn vriendin Marleen aan het zoeken.' Zij bleek ongedeerd het pand te hebben verlaten.

Toen hij ontslagen werd uit het ziekenhuis, hing er bij terugkomst een grauwsluier over het dorp. 'Ik kwam terug en alles was donker. De lucht, de mensen. Als je in het ziekenhuis ligt, ben je blij als je naar huis mag. Maar nu was het overal donker. De tv-zender van de lokale omroep stond zelfs op zwart. 's Avonds op mijn kamer was ik regelmatig verdrietig. Verdrietig om het verdriet wat andere mensen moesten beleven nu ze hun kind hadden verloren of nog konden verliezen. Jongeren die in zo'n kleine ruimte als deze bar zo dicht bij je hadden gestaan, ernstig verbrand waren geraakt of zelfs verdrukt en gestikt en ter plekke overleden. Bijvoorbeeld Yvonne Veerman, die geen enkele brandwond had, maar meteen dood bleek. Nico Veerman, speler van ons derde team, die later aan zijn verwondingen zou komen te overlijden.'

'En een half jaar na 'de brand' overleed Anja Kok nog, vanwege een bacterie, terwijl ze daarvoor al voorzichtig stukjes liep in het dorp. Elke keer als ik in Volendam ben en haar ouderlijk huis voorbij rijd, denk ik aan de pijn die haar familie nog elke dag moet voelen. Wij, m'n vrienden, Marleen en ik, we hebben zoveel geluk gehad dat we het mochten overleven. Het was zo'n inslag. Telkens als ik nieuwe teamgenoten ontmoet, dan zien ze mijn handen en vertel ik het verhaal weer. Als ik dat wat uitgebreider doe, zie ik dat het impact op hen heeft. Dan denk ik ook weer: dat hebben we toch met z'n allen meegemaakt. Vervolgens schuift het onderwerp naar de achtergrond.'

Destijds ontstond een unieke situatie. 'Een paar maanden uit mijn leven zijn gewoon weg. Je herstelt thuis, kan maandenlang niet naar school toe. Ons handbalteam werd uit de eredivisie genomen, omdat er zoveel spelers bij betrokken waren. We kregen dispensatie en mochten het seizoen erna wel weer in de eredivisie starten.

Zoiets is toch zeldzaam.' Het grote doel, zijn jongensdroom, bleef kaarsrecht overeind. 'Mijn keepersdroom had misschien achterstand opgelopen, maar ik voelde al snel dat ik nog wel alles kon doen. Meldde me weer op de keeperstraining na verloop van tijd, maar dat bleek veel te snel. Ik weet nog dat keeperstrainer en oud-international Ruud van den Broeck, die normaal van pittig trainen houdt, zo voorzichtig was. Je zag dat het ook bij hem hard aan was gekomen, dat meerdere spelers en ook zijn twee keepers op intensive care waren beland. Hij en onze trainer George van Noesel, dat waren twee vaderfiguren. Wij waren hun beschermelingen. Voor hen en voor mijn ouders was het allemaal nog veel erger wat er gebeurd was. Stel je toch eens voor dat dit je kind overkomt. En dan voorál die ouders die hun kind verloren hebben, voor hen is het erg.'

Voor de handballers – meer dan tien selectiespelers waren betrokken bij de Nieuwjaarsbrand – bleek de sport een uitlaatklep en een extra motivatie om ergens naar toe te werken. Naar volledig herstel én naar die ultieme missie van een vriendenploeg: samen kampioen van Nederland worden. 'Iedereen van de ploeg werd teruggeworpen door 1 januari 2001. Het is zo knap dat het alsnog gelukt is om Nederlands kampioen worden. Het was altijd de droom geweest van onze vriendenploeg. Uiteindelijk lukte dat in 2005, een jaar nadat ik naar de Duitse Tweede Bundesliga was vertrokken. Zelf was ik nooit zozeer met prijzen bezig, dat zijn eigenlijk momenten in je sportleven. Toen ik twaalf was, zei ik al dat ik handbalkeeper in Duitsland wilde worden. Dat is hét handballand van de wereld.'

Hij begon bij SG Solingen en betrok daar een appartement, toen nog moederziel alleen. Steeds vaker kwam zijn vriendin over.

Gestaag en geduldig bouwde hij er aan een loopbaan en aan een naam als betrouwbare doelverdediger. 'Sportief gezien ben ik steeds een stapje hoger gegaan, van de Tweede naar de Eerste Bundesliga en daarin weer een keer van club veranderd omdat die hoger op de ranglijst stond. Nu pas ben ik op een punt dat ik denk: op dit niveau wil ik blijven, moet ik ervaring opdoen zodat ik gemakkelijker ballen ga stoppen. En ben ik op het punt dat ik graag een bepaalde prijs wil pakken, in de vorm van de Europa Cup 2. Met mijn club SC Magdeburg zijn we afgelopen zomer elfde geworden in de sterkste competitie ter wereld. Ik hoop nog eens de stap te maken naar een ploeg die vierde staat, of tweede keeper worden bij de top-drie. En dan groeien naar de eerste positie bij zo'n club. Dan moet je ook een beetje geluk meehebben.'

'Ik weet dat ik al veel geluk gehad heb in m'n leven; ik mag tenslotte blij zijn dat ik nog leef. Maar nee, dat gevoel komt niet bij me op als ik een wedstrijd verloren heb. Dan heb ik er gewoon de pest in. Ons kind, dat dit jaar is geboren, relativeert wel alles. Als ik dan thuiskom, ben ik de nederlaag even vergeten.'

In het Duitse handbalwalhalla groeide hij als persoonlijkheid, zowel tussen de palen als daarbuiten. Steeds minder vaak onevenwichtig in wedstrijden, steeds vaker onverstoorbaar het één-tegen-één-gevecht aangaand met de schutter van de tegenstander. Aanvankelijk keek de pragmatische Volendammer nooit op of om naar mentale processen. 'Voor het lichamelijke herstel heeft het me na de ramp wel geholpen dat ik sportman was. Qua psyche is het toch een andere kwestie. Je bent wie je bent en iedereen gaat anders met zoiets om. Sommige sportmensen zijn mentaal sterk, maar sommigen hebben meer aandacht nodig. In het dagelijks leven vind ik mezelf een sterk persoon en stabiel, maar in de wedstrijden heb ik desondanks mijn dipjes. Ik vraag me wel eens af waarom. In de sport kan wat de psyche betreft zoveel worden verbeterd. Waarom maken ze nog zo weinig gebruik van de sportpsychologie? Ik weet nog dat lang geleden iemand, die ook in 'de brand' had gezeten, mij vertelde dat hij in het eerste jaar regelmatig een bezoek had gebracht aan een psycholoog. Hij vertelde me dat dat het beste was geweest wat hem was overkomen, dat hij zichzelf zo goed heeft leren kennen. Da's dus heel waardevol.'

Wat Eijlers zelf heel goed in acht neemt, is de arbeids-rustver- houding als topsporter. Ook tot zijn medespelers en de Duitse handbalmedia is inmiddels doorgedrongen dat de doelman wel van een slaapje houdt. 'Omdat Marleen en ik afgelopen jaar dus een dochter hebben gekregen, Sophie, is er wel wat nachtrust verloren gegaan, maar dat haal ik dan wel in. En Sophie heeft in ieder geval dat deel van mij meegekregen, dat ze ook wel van een dutje houdt.' De trotse opa's en oma's komen gelukkig regelmatig op visite in Magdeburg. 'Afgelopen zomer zijn we getrouwd in Volendam en waren we daar ook meerdere weken. Dan is het best moeilijk om iedereen weer achter te laten. Vooral voor Marleen is het dan weer flink wennen en dat is logisch. Gelukkig hebben we die kleine. Prachtig! Ik denk dat ik wel een beschermende vader zal worden.'

Ook voor Marleen liet 01-01-01 sporen na. Gerrie: 'Dat het nu tien jaar geleden is: ach, jaren en dagen zeggen me niet zoveel. Verjaardagen doen me ook niks bijzonders. Elk oud & nieuw denk ik er wel bij na. Ik weet nog dat ik de eerste jaarwisseling erna in Oekraïne was met het Nederlands handbalteam. Voelde ik me helemaal niet prettig. Iedereen dronk iets of was uitgelaten, dat gevoel had ik helemaal niet. Vond het ook rot dat ik ver weg was van Marleen. Zij staat er nog vaker bij stil dan ik, is een emotioneler type. Bovendien heeft zij een klasgenoot verloren door 'de brand'.'

Door zijn drukke schema in de Bundesliga en als keeper van het Nederlands team, is er weinig tijd voor uitstapjes of lange vakanties. Hij houdt van de natuur. Vooral met een hengel in de hand of omgeven door vissen is hij in zijn element. Eijlers gaat vaak richting Denemarken om te vissen. 'En als ik in Nederland ben, pak ik vaak de hengels en ga met m'n vader naar de Pier van IJmuiden. Ik ben niet zo'n type visser die geduldig wacht en gaat zitten turen naar het water. Ik vis echt actief, ben bezig met het aas en steeds aan het kijken waar de vis zich bevindt.'

De gesprekken tussen vader en zoon blijven dan aan de oppervlakte. 'Nee, dan gaan we niet de diepte in en uren zitten praten over alles wat is gepasseerd. Mijn vader is wel degelijk een emotioneel type, m'n moeder is wat harder. M'n vader kropt alles op. Deed ik ook altijd, maar ik heb geleerd dat je met praten ook goed uit bepaalde situaties komt. Ik weet waar m'n ouders doorheen zijn gegaan, van hun eigen verhalen, maar ook van verhalen van anderen. Ik ken m'n vaders gevoel, het is alleen niet zo dat we daar open over praten. In Volendam zijn de mensen bij het elkaar ontmoeten sowieso wat rustiger, niet zo 'handenschudderig', 'zoenerig' en 'omhelzerig'. De nieuwe generaties doen het iets meer, maar zoiets verandert niet zomaar.' Zelfs niet na een aangrijpende gebeurtenis als de Nieuwjaarsbrand.

LICHT IN DE DUISTERNIS

INGRID EN ANNEMARIE

De donkere dagen. Als ze aanbreken, dwarrelen de herinneringen naar beneden. Herinneringen uit De Hemel. Aan hun broer, Eric. Die elk jaar begin december als hulp-zwarte piet Sinterklaas bij stond. Telkens als de Goedheiligman binnenvoer in het voorbije decennium, stond-ie niet op de boot te springen, 'Erico'. Deelde geen handvol pepernoten uit aan de kinderen. Aan het eind van die donkere decembermaand doemt telkens het duizelingwekkende drama op. Het beeld van hun broer, destijds 21 jaar oud. Sociaal, een gangmaker, ook die avond. De sterretjes die een week eerder tijdens Kerstmis ook sfeerverhogend waren geweest, werden fataal toen ze gebundeld in aanraking kwamen met de kerstversiering. Toen een schuldige werd gezocht, werd *zijn* naam besmeurd. Hij kreeg er niets van mee, want Eric Schokker raakte dusdanig verbrand, dat hij binnen een etmaal aan zijn einde kwam. De achterblijvers raapten de scherven op. Een zware erfenis. Jaren later nog in de rechtszaal, werd zijn naam genoemd. Ook al was inmiddels doorgeschemerd dat het niet hun broer moet zijn geweest, die de noodlottige vonk veroorzaakte. Het verhaal gaat het voorstellingsvermogen voorbij. Jaren later werd zijn zus opgegeven, vanwege darmkanker. Ze ontwaakte echter uit coma. En werd nog geen sterretje in het heelal, zoals werd gedacht. En zoals haar broer wordt omschreven. Met de kracht van boven, vanuit De Hemel, vertellen de zussen. Niet eerder spraken zij in het openbaar, Annemarie en Ingrid. Ze vragen niet om rehabilitatie, maar verdienen het wel.

Hoe wreed. Terwijl op 5 januari 2001 de begrafenis van één van de slachtoffers van de Nieuwjaarsbrand – Yvonne Veerman – gaande was, belegde het Openbaar Ministerie in Zaandam een eerste persconferentie. Er werd gezegd dat de persoon die vermoedelijk het contact tussen sterretjes en kerstversiering veroorzaakte, meteen was overleden. Het woord 'aangestoken' viel zelfs regelmatig in de dagen en weken na de ramp. Daarvan kon nooit sprake zijn. In een uitgelaten bui werden sterretjes gebundeld en nadat die te hevig ontbrandden, vatte de kerstversiering – inmiddels droge takken hangend in een net – vlam. Daarna ging nog eens van alles mis. Ingrid reconstrueert: 'Voor Eric en zijn vrienden was De Hemel een stamkroeg. Ze zaten er elke zaterdagavond. Hadden er zelfs elke week een bokaal te verdelen. Degene die het meest dronken was geweest, kreeg achteraf de zilveren bokaal, kaasvormig was-ie. Die halve kaas staat nog steeds in De Hemel. Net als de half verbrande 'pot', het bierglas waarin het geld was gestopt dat ze met vrienden bij elkaar hadden gelapt bij binnenkomst. Ze waren nét binnen toen het gebeurde. Eric had zijn jas nog aan...'
Zoals zovelen was ook Eric die oudejaarsavond niet in bar De Hemel begonnen. 'Ze hadden tot middernacht in een andere horecagelegenheid gezeten, de Amvo. Ik zat met mijn vriendinnen in de De Jozef. Waarvandaan ook ik na het moment van het Gelukkig Nieuwjaar-wensen meteen naar De Hemel ging. Ik ging de Wir War Bar binnen en wrong me door de drukte op de trap heen naar

boven. Na enige tijd was ik in De Hemel vlakbij Eric. Hij was iets later binnengekomen dan ik. Het was gezellig, maar heel druk.'

Oogcontact tussen broer en zus was er nog niet geweest. Ze hadden elkaar nog geen Gelukkig Nieuwjaar gewenst in de overvolle bar. Dat oogcontact, dat zou er ook nooit meer komen... 'Op een gegeven moment ging er iets mis. Ik keek en zag Eric met zijn vriend Klaas Koning brandende takken naar beneden halen. De mensen begonnen al een kant op te gaan en ik zei ook tegen m'n vriendin: 'lopen!'. Ik keek nog een keer om en zag Eric's jas in de brand staan. 'Ga nou lopen', zei ik in gedachten tegen hem. Achteraf hoorde ik dat de barkeeper die vlakbij stond al de emmer ijsklontjes had geworpen en bezig was te helpen met blussen, maar voordat ze verder waren, werd de deur naar de zogeheten *dark room*, waar spullen stonden opgeslagen, opengehaald. Daardoor kwam er zuurstof vrij, waardoor er na de *backdraft* een *flashover* is ontstaan. Ik was toen al omgevallen. Ben steeds bij bewustzijn gebleven. Probeerde een jongen te helpen die bij me lag, die riep dat hij geen lucht kreeg.'

Ze is lang blijven liggen. 'Op een gegeven moment kwamen de brandweermannen binnen. Met van die persluchtmaskers op. M'n vriendin zei bij het opstaan dat ze even moest zoeken of ze haar huissleutel nog wel had. Dat je daar aan denkt... Het is moeilijk te beschrijven in welke toestand je bent. Toen ik was opgestaan, wilde ik achterin de bar gaan kijken, waar Eric was. Maar een brandweerman hield me tegen. *'Die halen wij er wel uit'*, zei hij. Hij heeft me door het ingeslagen raam naar buiten op de luifel van de Wir War Bar gezet. Dorpsgenoot Jerry Tuyp hield me vast, want sommigen waren al gesprongen. Toen kwam ik m'n oom, Jan Mooijer tegen, ook een brandweerman. *'Eric gaat dood'*, was het eerste wat ik tegen hem zei...'

Onderwijl ging verderop in het dorp bij haar zus Annemarie de visite ieder een kant op. 'We hadden gehoord dat De Hemel in brand stond. Een aantal ging richting de dijk, om te helpen. Mijn man Crelis, zijn broer Evert en z'n vriend Jaap gingen Eric zoeken. Dat was immers een Hemel-ganger, dus hij *moest* er wel bij zijn. Ik ging naar het huis van mijn moeder.' Haar zus Ingrid was radeloos, wanhopig. 'Ik schijn wat heen en weer te hebben gelopen op de dijk. Heb na verloop van tijd zelfs nog voor de Wir War Bar onder De Hemel gestaan, waar Eric binnen was neergelegd. Maar ik dacht dat hij daar niet kon liggen. Ik zocht verder, ben verderop in Grand Café De Dijk naar binnen gegaan en daar trof ik m'n neef Jan Klouwer aan, een vriend van Eric. Jan was in slechte toestand. Toen anderen vroegen of ik Eric had gezien, zei ik steeds dat Eric dood was.'

In de tussentijd hadden Annemarie en haar moeder geen enkel idee dat voor Eric de laatste uren hadden geslagen. Ze hadden zelfs een belletje gekregen dat iemand wist te vertellen dat Eric in het Waterland-ziekenhuis van Purmerend lag. 'Diegene lag er naast, had een 'kuchje' gehoord, vroeg of het Eric was en had een 'ja' gehoord. Maar toen we in Purmerend aankwamen, bleek diegene niet Eric te zijn. Eric had altijd al een speciaal 'kuchje', maar dat had iedereen na het inademen van die rook. Toen we thuiskwamen, was het wachten...'

Ondertussen waren Ingrid en vader Cees Schokker ook langs Purmerend geweest, eveneens in de veronderstelling dat ze daar broer en zoon Eric aan zouden treffen én de andere gezinsleden, maar die waren al onverrichter zake huiswaarts gekeerd. Ingrid: 'Samen met m'n vader en mijn tante zijn we met Jan naar het ziekenhuis gegaan. Daar bleek dat Jan eigenlijk nooit met een personenauto vervoerd had mogen worden, zo verbrand was zijn rug. Alleen had niemand dat gezien en in de chaos verliep bij de hulpverlening ook niet alles goed.'

'Ik moest zelf ook onderzocht worden in het ziekenhuis. Daar waar m'n vader eigenlijk nooit kwam, van het ziekenhuis werd-ie zenuwachtig. Ik zag er allemaal bekenden van De Hemel voorbij komen. De verpleegsters wilden dat ik bleef, maar tegelijkertijd hadden ze geen mankracht genoeg om iedereen te helpen. Dus wij drongen erop aan dat we naar huis mochten, ook omdat we Eric nog niet hadden gevonden. Mijn oom was ondertussen gearriveerd en neef Jan is een dag later overgebracht naar Rotterdam.'

'Toen ik thuiskwam met m'n vader, heb ik niet gezegd tegen m'n moeder dat ik dacht dat Eric dood zou zijn. Ik probeerde steeds te denken: Eric is gewoon een beetje meer verbrand dan Jan. Mijn moeder was nog altijd in afwachting van een telefoontje. Ik hoor mijn vader nog tegen haar zeggen: 'nou, neef Jan is er ook nog niet, hoor', doelde hij op diens overlevingskansen. De rest van hun gezin zat ook bij ons thuis, in spanning te wachten.'

Via Teletekst werd al duidelijk dat enkele personen 'de brand' niet overleefd hadden. 'Om half zeven verscheen op Teletekst dat er een alarmnummer gebeld kon worden door ouders. Toen werd m'n moeder meteen op de hoogte gebracht van waar hij was. Hij was naar Blaricum vervoerd, in het Tergooi Ziekenhuis, het toenmalige Gooi-Noord. *'Haast u niet'*, werd er tegen m'n moeder gezegd. *'Hij heeft geen enkele overlevingskans...'* Iedereen was versteend...'

Ingrid: 'M'n ouders gingen naar Blaricum. Wij belandden naderhand in het huis van onze oom en tante.' Annemarie: 'Op een gegeven moment deed daar een collega van Eric de poort open en vroeg hoe het met hem ging. *'Hij gaat dood'*, zei ik droog. Als ik nu terugdenk aan die momenten. Je gaat schijnbaar op slot, leeft in een roes.'

De bevestiging kwam niet veel later. 'Mijn moeder belde vanuit het ziekenhuis. *'Hij gaat dood'*, zei ze. Ze mochten Eric eigenlijk niet meer zien, hij was niet toonbaar. Alleen zijn voetzolen waren nog heel. Maar mijn moeder stond erop, dat ze hem nog mochten zien. Dat is later ook gebeurd...' Ingrid: 'Daarna zijn wij terug gegaan naar het huis van onze ouders, waar ondertussen buren en kennissen binnenstroomden. Samen gingen we de kerstboom aftuigen en de spullen opruimen. Als laatste de versierde grot, die had Eric gemaakt. M'n moeder had mij over de telefoon gevraagd het 'dode-laken' te pakken van boven. Zo'n wit laken gaat in Volendam meestal voor het raam wanneer één van de inwoners overlijdt. En ik ging naar boven, naar de blauwe zak met het witte laken. Een paar weken eerder had m'n moeder nog gezegd waar ze dat laken had gelegd, voor het geval de goedaardige tumor van Annemarie toch nog anders uit zou pakken...'

'De tekeningen van zijn nieuw te bouwen huis werden gezocht, om bij hem in de kist te leggen. Uiteindelijk zijn ze niet meegegaan. En die kist, die kwam precies die avond van 1 januari om kwart over elf. Zijn vaste klok. Elke avond kwam hij rond dat tijdstip thuis. Nu ook...'

Ingrid vond het niet bezwaarlijk dat ze haar broer niet meer kon zien. Annemarie: 'Ik heb nog gevraagd of ik hem echt niet meer mocht zien. Het mocht niet. Moest ik een recente foto van hem tevoorschijn halen, voor op zijn kist. Drie weken eerder waren Crelis en ik getrouwd en Eric was mijn getuige. We hadden die trouwdag een fotograaf ingehuurd om alles vast te leggen. Moest ik op 2 januari bij die man aankloppen voor een foto, terwijl hij ons 'trouwboek' nog niet eens klaar had. Bij het zien van de foto's van de trouwdag betrapte ik mezelf er op dat ik *'oe, wat een mooie'* zei. Tenslotte had ik ze nog niet gezien... Terwijl ik kwam voor een foto van Eric voor op zijn doodskist...' Ze werden de dagen daarna geleefd. 'We belandden in een soap. Als we 's morgens wat vroeger naar onze ouders gingen, omdat we dan samen even tijd hadden, dan zaten er al mensen aan de tafel. En dat bleef doorgaan, dagenlang, van 's morgens vroeg tot 's avonds laat. Van slapen kwam ook al niks.'

Ingrid: 'Op 3 januari had ik al drie dagen niet gepraat. Op het Don Bosco College, het voortgezet onderwijs in Volendam, kwamen alle jongeren bij elkaar. Er werd gevraagd of we daar heen wilden gaan. Op het moment dat we op het punt van vertrekken stonden, arriveerde de politie. Onaangekondigd. Ik vroeg of ik erbij moest blijven; tenslotte was ik erbij toen het vuur ontstond. Maar het was niet nodig. Toen we bij het DBC kwamen, kregen we begrip, maar we hoorden ook minder leuke reacties. Bijvoorbeeld op de foto's van de overledenen die daar hingen. Iemand zei: *'Waarom hangt zijn foto er nou tussen, hij heeft het toch aangestoken...?'* Het ging om Eric... We schrokken en gingen meteen terug naar huis. Misschien dat we nog met de politie konden praten. Maar het kwaad was al geschied...'

'In een eerste officiële verklaring wilde de politie zelfs zijn naam gaan noemen. Daar heeft een aantal mensen uit onze omgeving werk van gemaakt en een stokje voor gestoken.' Het gezin Schokker was verdoofd. 'De meeste jongeren die in De Hemel rondom de plek hadden gestaan waar het vuur was begonnen, lagen de eerste dagen of weken onder zeil. Pas later hoorden we verklaringen van getuigen, van bekenden, die het gezien hadden.

Die gezien hadden dat het niet Eric's sterretjes waren die contact maakten met de takken.' Maar ook in dat opzicht was het kwaad al geschied. Zijn naam was al bezoedeld. Annemarie: 'Wat had het nog voor zin om een beschuldigende vinger de andere kant op te wijzen? Een ramp gebeurt alleen als alles mis is. Dan treft niet één iemand schuld en blaam. Dus ook eigenaar Jan Veerman (bijgenaamd Dekker) niet.'

Tijdens één van de rechtszaken, jaren later, werd op de zitting toch nog de naam 'Eric Schokker' genoemd toen het ging over het ontstaan van de brand. Ingrid: 'Mijn moeder zou zijn naam zo graag gezuiverd zien. Alles is in die nacht en dagen daarna in vlagen van chaos en emotie gebeurd; ook de politie heeft misschien te snel gehandeld met die verhoren en het zoeken naar een schuldige. Terwijl de taak van een aantal politiemensen die nacht zelfs overgenomen moest worden door brandweermannen, zo hoorden we later. Sommige agenten stonden te huilen. Ze konden hun emoties niet de baas. Mijn man Jos, brandweerman die nacht, heeft ook bij Eric gezeten en ook bij diens later eveneens gestorven maatje Klaas Koning, toen die uit De Hemel waren gedragen naar een verdieping lager, de Wir War Bar. Jos en ik hadden toen nog geen relatie met elkaar, maar Eric en hij kenden elkaar al. Eric had eerder tegen hem gezegd dat hij ook bij de vrijwillige brandweer zou gaan. Dat is waar Jos met hem over heeft gesproken, in het laatste uur dat hij nog kon praten. Eric zou zich nog wel aanmelden... *'Komt deze week wel'*, had hij gemompeld tegen Jos.'

'Op dat moment waakten ook drie dorpsgenoten bij hem: Edgar Koning, Ruud Plat en Annemarie Hansen. Ze zijn later nog bij ons geweest, om dingen te vertellen. Over wat Eric nog had gezegd.

Hij zei geen pijn te voelen. Als ze hem besprenkelden met water, gaf hij een reactie, zo van '*oooeehhh*', alsof het prettig verkoelend was. Voor de drie die bij hem zaten, was dat echter heel moeilijk, want als er water overheen ging, vielen de vellen huid van zijn lichaam af. Ze hielden hem aan de praat. Hij gaf nog het telefoonnummer van thuis, maar dat is niet gebruikt, hij sprak over zijn vakanties, over de brandweer, over de skivakantie die er aan zat te komen. Hij heeft niet het idee gehad dat hij ging sterven...'

'Er was nog weinig van hem over. Zoveel delen van het lichaam waren verkoold. Pas na verloop van tijd werd hij druk. Hielden Annemarie en Jos zijn hand vast, die aanvoelde als crêpe-papier. Eric was al blind geworden, zag niets meer. Daarom is hij op een gegeven moment gaan staan. Kwam bedrijfsleider John Veerman (bijgenaamd Kadij) hem tegen. Die had hem eerder van De Hemel naar de Wir War beneden gebracht en wist hoe slecht hij er aan toe was. Hij zei dat Eric weer moest liggen en dat er mensen bij moesten blijven. Maar Eric zocht het licht. Hij zag niks meer. Jos riep op een gegeven moment dat hij écht de ambulance in moest en toen hij daarheen werd gedragen heeft hij nog tegen Jos geroepen: *tot van de week, hè...*'

Op zaterdag 6 januari was zijn begrafenis. In opdracht van een vader van één van zijn vrienden, Cor Kemper, gefilmd. Met Kemper zou hij vanaf 1 april dat jaar een eigen stucadoorsbedrijfje, DACO, beginnen. Cor verbleef net als enkele andere vrienden nog in het ziekenhuis en kon de begrafenis niet bijwonen. Een surrealistische herdenkingsdienst, want tussen de rollende tranen door klonken over de geluidsinstallatie de gezellige klanken van '*Rockin' the trolls*' en '*The Old Calahan*', van hun dorpsgenoten BZN.

Zo herdachten ze Eric Schokker, als iemand met een lach die midden in het leven stond.

Annemarie: 'Ondertussen ging ons leven door op de automatische piloot. Steeds door naar het volgende. Elke dag gingen we in Rotterdam op bezoek bij neef Jan, die een paar keer op sterven na dood was en pas ver in februari bij kennis kwam. We waren eigenlijk minder bezig met onze dode, meer met de overlevende. Kregen steeds mensen op bezoek, gingen naar bijeenkomsten als de Stille Tocht. Toen we bij Jan in het ziekenhuis waren, stond m'n vader met een arts in de lift, die ineens begon te vertellen dat hij tijdens die bewuste rampnacht een ander slachtoffer had gezien, dat dermate verkoold was, dat hij het een wonder vond dat die jongen nog enige tijd had geleefd. En dat hij de beslissing had moeten nemen om medisch gezien geen poging te ondernemen hem te redden. Toen m'n vader vroeg in welk ziekenhuis 'die jongen' lag, bleek het om Eric te gaan... En nu was diezelfde dokter de arts van Jan. Voor m'n vader was het een troost om te horen, dat er niets meer te redden was geweest. Volgens de arts was er niks, geen huid, om iets vanuit op te bouwen.'

Annemarie: 'We denderden maar door. Waren aan het overleven en bezig met diegene die in het ziekenhuis aan het overleven waren.' Ingrid: 'Intussen kwamen vrienden, vriendinnen of bekenden thuis van hun tijd in de ziekenhuizen. We werden geleefd. Er was steeds iets, er was geen tijd om stil te staan bij de dood van Eric. Ik kreeg bovendien de ziekte van Pfeiffer, dus ik sliep snel als ik mijn hoofd op mijn kussen legde.'

Annemarie: 'We kregen zoveel mensen op visite, dat we wel eens bewust buiten Volendam gingen eten. Tuurlijk was het goed bedoeld dat die mensen kwamen. Maar ons ritme werd zó ontregeld, dat we soms even afstand moesten nemen om alleen te zijn. Bovendien zou je graag zien dat al die mensen een jaar later nog steeds regelmatig zouden blijven komen, als alle drukte voorbij was. Maar dat was wel stukken minder.'

Van rustig rouwen kwam niets terecht. Annemarie: 'Wij hebben een ander rouwproces gehad. Eric kreeg immers de schuld van de Nieuwjaarsbrand. Dus we hebben meer moeten verdedigen dan dat we konden rouwen. Er was niet eens tijd om hem te missen. Je moest steeds op je qui-vive zijn. Op wat je zelf zei, maar ook als je je in het dorp begaf, hoorde je mensen erover praten. Later kwamen we erachter hoe de politie de jongeren heeft verhoord. Of ze soms ook hadden gezien dat Eric Schokker de sterretjes in handen had en richting kerstversiering hield, in die trant.'

'Onze moeder is nog steeds niet overtuigd van zijn onschuld. Ook al is het zo vaak tegen haar gezegd. Ze voelt nog altijd dat haar zoon verantwoordelijk is voor het verwoesten van half Volendam. Inmiddels zijn we zelf moeder van kinderen, Ingrid en ik, en weten we wat een moederhart voelt: je wilt zoiets niet op je geweten hebben. Háár jongen, die nooit een vlieg kwaad deed, die altijd en voor iedereen klaar stond...'

'Daar worstelen we als gezin nog steeds mee. Ik probeer niet meer stil te staan bij de dingen die ik niet meer kan veranderen. M'n moeder heeft verdriet, nog elke dag. Het verdriet neemt haar leven in beslag. Wij proberen de donkere tinten niet te zien, maar de mooie kleuren, het positieve uit het leven te halen.'

Waar ze de kracht vandaan halen? Want het leven van het gezin Schokker veranderde vanaf tien jaar geleden in een achtbaan, welke voorzien is van de meest eigenaardige wentelingen.

Menselijke mirakels als de geboorte van kinderen, werden afge-wisseld met momenten van diepe droefenis. Er bleef hen weinig bespaard. In 1999 ontwikkelde zich een spierziekte bij Annemarie, waarna een tumor in haar zwezerik – een orgaan tussen borst-been en luchtpijp – werd ontdekt, toen nog goedaardig. Drie maanden na de dood van broer Eric bleek zij zwanger te zijn en aan het eind van 2001 beviel zij van zoon Cees.

De spierziekte zette dusdanig door, dat ze vanaf 2003 een behoor-lijk aantal milligram prednison moest gaan slikken. 'Dat tastte de werking van de bijnierschors aan, waardoor ik niks meer voelde. Koorts, griep en of ontsteking, ik voelde het niet. Dus ook niet de vorming van abcessen in mijn rug.'

In datzelfde jaar, 2003, was zij in blijde verwachting van haar tweede kind. 'We noemden hem Eric bij de geboorte. Toen Crelis bij me kwam en zijn doopnamen opnoemde, drong het pas tot me door. Ook exact dezelfde doopnamen als mijn broer Eric had. Ineens kwam er heel veel verdriet. Ik kon niet eens zijn naam noemen, van de baby. 'Wil je 'm even vasthou-den', vroeg ik aan Crelis. Of 'wil jij het kindje even pap geven?' Het deed zeer om zijn naam te noemen, om Eric te zeggen.'

'In die tijd zocht Ingrid de Groot contact met me, wiens man Jan zijn broer ook had verloren tijdens de Nieuwjaarsbrand. Zij hadden hun zoon ook naar hem genoemd, Nico. Ze belde me. We moesten praten. Ze voelde exact hetzelfde. Hoe mooi het was om degene die er niet meer was, te vernoemen. Een nieuwe Eric. Maar dat bracht ook andere situaties met zich mee. Mensen gingen ver-gelijken. Het werd zo beladen. Toen pas had ik veel verdriet om mijn broer, kwam het echte besef. Het besef dat *hij* nooit meer terug komt... Dat hij zijn neefjes nooit zal zien...'

'Steeds spraken we thuis over hem alsof hij er nog was. En verder moesten we hem vooral verdedigen. Crelis en ik waren een paar weken voor de Nieuwjaarsbrand en Eric's dood vanuit het ouderlijk huis getrouwd en ons huis ingetrokken. Het huis waarin hij álles had gedaan, waarvan hij de sleutel zelfs nog bij zich droeg op het moment dat hij verbrand raakte. Zijn hart lag in mijn huis. Daarom hoefde ik naderhand ook geen mensen op visite vanwege het zogeheten 'huisje kijken', want *hij* kwam er tenslotte ook niet meer terug.'

Ondertussen bleef Annemarie onder medische controle. In 2005 kondigde zich nieuw onheil aan. Op 16 oktober werd bij haar voor het eerst darmkanker ontdekt. 'Ik moest even naar een ander kamertje komen voor de uitslag. Dan weet je eigenlijk al dat er iets niet goed is. Dat werd me ook verteld. Ik keek de arts aan met ogen van 'oké, wat gaan we er aan doen?' Die arts vroeg of ik wel besefte wat het was. Of mijn man niet eerst moest worden gebeld. Die licht ik straks wel in, zei ik. Als ik 'm nu ga bellen, rijdt-ie van schrik tegen de eerste de beste boom. Ik wilde gewoon weten aan welke oplossing of operatie ze dachten. Schijnbaar dachten ze in het ziekenhuis dat ik meteen in huilen zou uitbarsten.'
''s Avonds heb ik de jongens naar bed gebracht en ben ik met Crelis gaan zitten. Dan ga je naar de toekomst kijken en toen kwam wel de vraag: stel dat het niet meer goed komt, hoe moeten ze nu al verder zonder hun moeder? Zaten we allebei te janken. De dag daarop gebeurde exact hetzelfde. Daarna heb ik gezegd: nu stoppen we met zo er tegenaan te kijken. Ik wendde me tevens tot de foto van broer Eric. Ik praat sowieso veel tegen die foto, tegen hem. *Eric, het kan best dat de situatie nu zo is, maar ik ben er nog niet*

klaar voor om naar jou te gaan, je moet me helpen...' '

In december volgde, na de nodige bestralingen, desondanks de eerste operatie. In april bleken zich echter nieuwe poliepen aan te hebben gediend. 'Eigenlijk moest er weer ingegrepen worden, maar ik vroeg de doktoren of ik misschien drie maandjes rust kon krijgen. De jongens waren pas twee en drie jaar oud, ik was er al een tijdje tussenuit geweest en wilde thuis aansterken met die jongens om me heen.' 'Gek genoeg gebeurt alles op beladen dagen. Op Sinterklaas ben ik eens opgenomen, op de eerste schooldag van zoon Cees kreeg ik mijn eerste bestraling.' De operatieve verwijdering van de dikke darm geschiedde op haar verjaardag, 26 oktober 2006. In plaats van dat zij na die zware ingreep herstellende heen ging, takelde haar gezondheid af. 'Uiteindelijk is er tijdens die operatie iets mis gegaan. Mijn anus diende te worden dichtgemaakt en dat is niet goed gegaan. Daardoor konden er nieuwe ontstekingen ontstaan en ging ook mijn wond open die in mijn buik was gemaakt.'

Annemarie werd zieker en zieker. 'Maar voor de artsen in het AMC was er geen reden voor verdere actie. Zij werken volgens een bepaald protocol, alleen bleken hun protocollen niet op mijn situatie te passen.' Ze bleek een zeldzaam geval. 'Ze wisten zich met de complicaties geen raad. Ik keek naar beneden en zag liters bruinkleurige ellende uit mijn lichaam komen. 'Toen gaf ik ook aan: ik ben 28, maar dit kan toch niet goed zijn.' Daarop werd zij meegenomen, richting de operatiekamer. 'Ik verzwakte al aardig, maar mocht nog mijn man Crelis bellen en vertellen dat ik geopereerd zou worden en dat mijn sieraden in een kluisje lagen opgeslagen.' Tijdens die operatie ging het opnieuw mis. Haar lichaam bloedde hevig en de chirurgen konden het bloeden niet of nauwelijks stelpen. De familie werd ingelicht, met de boodschap dat het gezin

Schokker een tweede kind op jonge leeftijd dreigde te verliezen. Ingrid: 'We kregen te horen dat zij op sterven lag, dat als we nog afscheid wilden nemen, we een en ander in gang moesten zetten. Dat als we nog een priester aan haar bed wilden hebben, dat ook konden doen...'

De plaatselijke pastor Mantje werd ingeseind en bereid gevonden de in coma liggende Annemarie te voorzien van het Heilige Sacrament. Ook haar zoontjes kwamen aan haar bed. Om afscheid te nemen van hun mamma. Hartverscheurende taferelen. Anderzijds was er het ongeloof, het er niet aan willen. Ingrid: 'Ik zat op dat moment bij de ouders van m'n vriend Jos, waarmee ik nog niet zo lang verkering had. Er werd gebeld. Toen ik ophing, staarde ik even voor me uit. Annemarie... ze kon dood gaan. Zo rustig als hij steeds was geweest, raakte juist Jos in paniek. We bezaten op dat moment allebei een huis. Ik dat van Eric, althans de woning die hij op zou bouwen en ooit zou betrekken. Tot dan had Jos alles op z'n beloop gelaten, maar ineens ging hij snel beslissingen nemen. In welk huis we zouden trekken en nog meer dingen.' Annemarie: 'Toen had ook hij in de gaten dat het leven niet oneindig is. Realiseerde hij zich pas de betrekkelijkheid van het leven.'

Ingrid: 'Ik liet het verdriet niet toe. Bedacht me ineens dat ik een extreem slecht kind zou zijn om als enige over te blijven, dus dit mocht niet gebeuren. Dit kon niet. Toen we bij haar kwamen en Annemarie in coma lag, heb ik het ook gezegd: *'jij mag niet doodgaan, want ik ben een heel slecht enigst kind'*.'

Annemarie: 'Toen ik wakker werd, was het heel raar. Ik dacht dat het de volgende dag was, maar we waren een week verder.

De foto's van mijn zoons hingen opeens in m'n kamer. Toen ik ze naderhand aan de telefoon kreeg, deden ze zo raar. 'Heb je nog die pijp?', vroeg de oudste. Ik begreep het niet. Dat kwam later pas, toen ik mijn ouders, mijn man en zus kwam te spreken. Ik had vooraf nog de jongens proberen uit te leggen dat mamma twee weekjes bij de dokter zou gaan slapen. Opeens moesten ze mee naar het ziekenhuis. En werd hen door mijn moeder verteld dat mamma niet meer zou wakker worden. Zagen ze mij daar liggen, met allerlei slangetjes aan m'n bed, allerlei tv-schermen, zoals zij dat ervoeren en een pijp in m'n mond, dat vonden ze hélemaal eng. M'n moeder had hen verteld dat mamma een sterretje zou worden, net als ome Eric. Vroeg de jongste op de terugweg: *'maar gaat dan wel die pijp uit mamma's mond?'*"

'Het heeft een jaar geduurd voordat Eric, de jongste, me weer ver-trouwde, dat-ie me weer als zijn moeder zag, dat hij bij me wilde liggen en dat ik hem mocht knuffelen. Elke keer als er weer een dokter langskwam of een ambulance voor de deur stond omdat ik weer een abces had, begon hij te schreeuwen en te tieren, omdat hij wist dat mamma weer weg moest.'

Het duurde even voordat 'mamma' na de herrijzenis uit het coma weer naar huis mocht. 'Ik werd wat brutaler in het ziekenhuis. Kreeg een lekkende dunne darm. Op oudejaarsdag nota bene. Moest ik blijven. Maar ik wist dat ze op feestdagen en in het week-einde geen acties ondernemen, dus ik zei dat ze me maar naar huis moesten laten gaan. Dat wilden ze eerst niet. Maar ik kende mijn lichaam. Had al eens eerder die drie maanden rust gevraagd en gekregen, op eigen risico. Dus vroeg ik of ze me toch wilden loslaten.'

In die eerste maanden dat zij thuis was, kon ze niets. 'Helemaal niets. Ik moest altijd iemand bij me hebben, bij alles wat ik deed. Naderhand hing ik in een rolstoel. Probeerde ik op die manier, in gezelschap van mijn zus en moeder, toch naar de school van Cees te gaan, om als hulpmoeder iets te doen. Toen kreeg iedereen inzicht in hoe onze situatie thuis was en hoe zij als kleuters opgroeiden. Uit een gesprek met de juffrouw was namelijk gebleken dat Cees tijdens het kringgesprek vaak nogal afwezig was. Maar dat was geen wonder, want als mijn man Crelis om vijf uur opstond en alles samen met mijn moeder en zus voor mij moest doen, dan waren die kinderen ook al op. Dus die waren op school wel eens moe.' Vanuit de rolstoel moest zij opnieuw leren lopen, aan de handen van haar man Crelis. 'Echt als Bambi op het ijs', herinnert ze zich glimlachend. 'Daarna deed ik het met een rollator en daarna kon ik loslopen.'

Ze leeft sindsdien aangepast. 'Ik kon en kan weinig eten. Alles wat niet verteert vanwege het gebrek van de dikke darm, dat gaat branden in m'n buikholte, zoals fruitzuren en kruiden. Dan moet ik oppassen dat ik daardoor geen ontsteking oploop. Twee keer per jaar komt-ie langs. Maar ik krijg na mijn medicijnverleden inmiddels geen antibiotica meer voorgeschreven.'
'Het lag in de bedoeling dat ze volgend jaar mijn dunne darm zouden repareren, tezamen met een buikcorrectie en nog wat reparatiewerk. Volgens de dokter moest ik er een jaar voor opzetten. Maar diezelfde chirurg is naderhand overleden. Toen ik het mijn nieuwe arts voorlegde, stond hij niet te springen en vertelde dat complicaties onvermijdelijk zijn en het een lijdensweg wordt. Dan laten we het voorlopig maar zo. Ik wil als moeder van

twee kleine kinderen niet aan de wetenschap ten prooi vallen. Misschien als ze ouder zijn, over vijf jaar, dat we het alsnog eens bekijken. Ik wil geen studieobject worden. Heb in dat opzicht al vaker buitenlandse artsen aan mijn bed gehad. Van de twee slechtste opties is dit de minst slechte, zo acht de arts. Ze kunnen het niet beter maken. Maar wat de houdbaarheidsdatum is van de huidige situatie, dat weet ik niet. Ik blijf heel vatbaar. Bovendien is er de angst, niet zozeer bij mezelf, maar wel bij m'n omgeving, dat zo'n ontsteking een keer van binnen knapt. Dan kan het zomaar over zijn... Bovendien heb ik wat vertrouwen verloren in operaties, omdat ik vorige keer in coma raakte en geen afscheid kon nemen van mijn familie.'

Toen ze weer aardig op de been was, pakte ze aan wat ze kon. 'Ik voelde niet zoveel, geen emotionele pijn, en ging verder. Ging bij m'n zus Ingrid de ramen lappen en op haar pasgeboren zoon Thomas passen. Weet je: zij deed alles voor mij. En haar man Jos, die ook maar even in onze familie was beland, deed dat ook toen ik in het ziekenhuis lag en herstellende was. Hij zag plotseling met mijn kinderen alle pretparken van binnen en buiten, terwijl hij daar voorheen helemaal niet van hield. Ze stonden altijd klaar voor ons, daarom wilde ik voor hen klaar staan en nam ik op me, wat in m'n vermogen lag.'

Alleen bleek het iets teveel hooi op de vork. 'Ik liep dit jaar daardoor de ziekte van Pfeiffer op, maar dat zou ook wel weer voorbijtrekken. Kijk: ik had vooraf een ideaalbeeld van dat ik op school hulpmoeder wilde zijn voor mijn kinderen. Maar had het idee dat ik er nooit voor hen geweest was. M'n oudste zoon Cees zei het ook: *'jij was er toch al niet, jij was altijd al ziek...'* Zijn eerste schooldag was immers mijn eerste bestralingsdag. Dat schrijf ik mijn zoon ook niet toe, dat hij zo kil was; hij wist immers niet beter dan wat hem verteld was. Dus toen ik opknapte, vroeg hij me *'maar wanneer ga je nou dood?'* Toen ik weer een ontsteking had, kwam hij weer: *'ga je nu dood?'* Want dat was hem immers gezegd. Hij had begrepen dat ma een sterretje zou worden, zoals oom Eric. Die hij eigenlijk alleen kende van de grote foto die in de huiskamer staat en van de dvd van het huwelijk van Crelis en mij, begin december 2000.' 'Nu zeg ik tegen hem dat als ma straks weer een keer geopereerd is, ik ook met hen gewoon aardappeltjes en groenten kan eten. Dat ma weer kan sporten en dat ze een mamma krijgen waarop ze trots kunnen zijn, net als alle andere mamma's...'

Annemarie: 'Op momenten komt het eruit. Het verdriet.' Ingrid: 'Destijds drong het pas op de begrafenis tot me door en moest ik huilen. Ik ben meteen aan het werk gegaan, het liefst zes of zeven dagen per week. Bouwde een enorme dikke muur om me heen. En toen ik zwanger raakte van Thomas, kwamen er continue tranen, om het minste geringste. Komt natuurlijk ook door de hormonen. Jaren terug ben ik op de Rainbow Ranch geweest in Spanje, bij zogeheten paardenfluisteraars. Dat is heel goed voor me geweest. Toen ben ik mezelf wel een paar keer tegengekomen.'
Annemarie: 'Ik had het bijvoorbeeld toen recentelijk onze neef Jan trouwde. Op het moment dat hij en zijn bruid op de schouders gingen en 'Rockin' the trolls' van BZN klonk. Of toen Ingrid en Jos gingen trouwen in 2008. Een perfecte dag. Maar dan komt het verdriet boven omdat *hij* er niet bij kan zijn. Maar teveel verdriet zien we echter als verspilde energie. Het is er écht wel. Maar we willen het niet elke dag zien of voelen. En beschermen onszelf door te verharden.'

'Wat we merkten is dat er weinig aandacht uit ging naar broers en zusjes. Het was logisch dat aan ons werd gevraagd hoe het met onze ouders ging. Het was logisch dat aan neef Kees gevraagd werd hoe het met zijn broer Jan ging. Maar Kees regelde van alles en was zijn broer bijna kwijtgeraakt. Wij waren onze broer verloren. Maar er werd nauwelijks gevraagd aan hem en ons: 'hoe gaat het nou met jou?' Later werd er een dagje uit georganiseerd en bijeen-komsten voor de broers en zussen van de overleden jongeren. Dan konden we dingen delen. Maar tegen een andere buitenstaander kon je niet vertellen hoe het thuis was, dat mijn moeder eigenlijk niet meer wilde leven, of dat als we een weekendje weg gingen of met vakantie, je bij het weggaan kreeg te horen dat we op moes-ten passen, want ze hadden al iemand teruggekregen in een kist... Ook prettige vakantie...'

In de afgelopen jaar richtte zijn oudste zus zich vaak tot hem. Annemarie: 'Ik had een andere band met Eric. Ingrid zag hem thuis niet zo vaak vanwege elkaars werkzaamheden, maar ze waren nog wel samen in het uitgaansleven. En hij was zuinig op zijn jongste zusje.' Ingrid lacht: 'Hij hield de jongens bij me weg.' Annemarie: 'Hij was trots op jou, maar niemand mocht aan je komen. Hij was heel zorgzaam. En als-ie dan thuis een dingetje verkeerd had gedaan, dan sloeg hij een arm om m'n moeder heen. Dan was het weer goed. Hij ging zo gemakkelijk en rustig met die situaties om. Hij was bijzonder. Met een hart van goud. Kon m'n moeder bespelen en tot rede brengen, ook als zij discussies met één van ons had. Het komt goed. Die woorden gebruikte hij altijd. Nu is die arm er niet meer.'

Ingrid: 'Hij had een zalige rust over zich heen. Veel zin om te leren had hij niet. Deed-ie het lesboek onder zijn kussen en kennelijk

straalde de kennis naar zijn hoofd, want hij haalde goede cijfers. Die bewuste avond was hij weggegaan van thuis en zei: '*Nou,
Gelukkig Nieuwjaar alvast en tot morgenochtend. Wel me wakker maken,
want ik moet 's morgens weer zitten in De Hemel.*' Lopend langs de
buren zei hij vervolgens nog '*wel uitkijken met vuurwerk, hè...*"

De zussen hebben via het plaatselijke medium, Nicole Schilder,
meerdere malen contact gezocht met hun broer. Annemarie:
'Elk half jaar bezoeken we haar. Voor onszelf, maar ook om met
Eric te communiceren. Écht, ik voel dat hij bij ons is. En dat
blijkt ook uit wat hij aan ons doorgeeft via het medium, zaken
die zij niet kan weten, maar wel kloppen. Eric gaf ons al eens
eerder aan dat we als gezin de schuldvraag moesten laten rusten.
Dat hij niet degene is geweest die op dat moment de sterretjes
per ongeluk tegen de kersttakken hield, maar dat we de onderste steen ook niet boven moeten halen, omdat het anderen hun
leven overhoop zal halen. En zo dachten wij er ook al over.'
Ingrid: 'Toen een half jaar geleden (24 juli 2010, EV) die ramp
in Duisburg gebeurde, waar mensen op weg naar een dance-
feest werden vertrapt, die beelden deden me herinneren aan wat
er met ons is gebeurd. En dan besef je ook dat niet één iemand
schuld heeft. Bovendien: we kunnen Eric niet meer terughalen en
dat geldt hetzelfde voor het verhaal van die avond.'
De getroffenen die hen aanspraken, spraken ook van een ongeluk.
Annemarie: 'Weet je, het gaat zo dat men bij een ramp een schuldige zoekt. Men wil toch iemand de schuld geven, of dat nou Eric
of eigenaar Jan Veerman betrof. Maar dan kunnen wij weer zeggen
dat de deur van die 'dark room' beter dicht had kunnen blijven,
misschien hadden ze het vuur dan eigenhandig uit kunnen

krijgen. Zo blijft het. We horen daarover niets meer in het dorp. In het begin gingen er nog wel roddels. Dat ik ontslagen was en dat er iets met Ingrid's werk aan de hand was, dat er ramen waren ingegooid. Niets van dat alles klopte. Ach, zoiets moet je eerst meemaken, dat mensen over jou praten terwijl ze niet weten hoe het zit. Daarom pleeg ik altijd eerst een belletje met diegene, als daarover iets wordt verteld, voordat ik het zelf verder brief. Het is dorps, het heeft ook wel weer z'n charmes dat iedereen op elkaar let. En in een dorp komt alles weer bij elkaar. Zoontjes van ouders komen in hetzelfde voetbalteam, mijn vader stond in het ziekenhuis in de lift met De Hemel-eigenaar Jan Veerman, omdat ze op hetzelfde moment te horen hadden gekregen dat ze opa waren geworden.'

Annemarie: 'Als mensen me vragen, hoe het gaat, zeg ik 'goed'. Ik houd het kort. Bij de dokter wijd ik uit met m'n verhaal en ik bespreek het met Crelis en de gezinsleden. Daar bespreek ik mijn medische problemen mee, de buik, de stoma, de medicijnen, de lichamelijke tekortkomingen. Niet met iedereen. Omdat ik het positivisme voel en ook wil uitstralen. Ik leef, ik geniet, van twee schattige kinderen en van mijn allerliefste neefje, het zoontje van Ingrid.'
'Via Nicole is er contact met Eric en wat ik dan hoor en voel, dat stelt me gerust, daar put ik kracht uit. Sommigen geloven er in, andere mensen niet. Het is net als die foto. Het is prettig als je tegen hem kunt praten, dat er voor je gevoel naar je geluisterd wordt.'
'Mijn zoons, Kees en Eric, ze worden ouder, ze gaan het begrijpen. Ze zijn zeven en acht jaar oud. Het is bijzonder om te merken dat lichtspotjes in ons huis soms spontaan aan en uit gaan. Crelis is elektricien en heeft ernaar gekeken. Ze zitten allemaal op dezelfde trafo en toch flikkeren verschillende soms aan en uit. Dat moet

ome Eric zijn, heb ik de jongens ook uitgelegd. Het gebeurde laatst een keer toen ik de jongens in hun bedje tot de orde riep. Kijk, zei ik, dat is ome Eric. Die zegt ook dat jullie niet mochten doen wat jullie gedaan hebben. Hij past op jullie.'

'Voor hen is hij een fictief persoon. Ze kennen hem van die foto, van de film van ons huwelijk en van het graf. We praten over hem in vreugde. Als we bij het monument komen dat door betrokkenen en nabestaanden is gemaakt, dat op de dijk tegenover bar De Hemel in de straat is aangebracht, zoeken ze altijd naar de tegeltjes die wij gemaakt hebben. En als ze dan naar boven kijken, weten ze dat ome Eric daar dood is gegaan.'

Annemarie: 'Ik ben zelf één keer in De Hemel geweest, maar ik had er weinig gevoel bij. Mijn hart maakt meer een overslag als we langs Blaricum rijden op de A1. Altijd als we daar langsrijden, sta ik er bij stil. Daar ligt mijn gemis, daar had ik 'm nog willen zien. De beslissing dat dat niet meer mocht, is voor mij genomen. Want een afscheid met een foto op de kist, is geen echt afscheid.'

Ingrid: ' Ik ben er drie keer terug geweest, De Hemel. De derde keer was zeven jaar later, samen met Jos, die als brandweerman nog niet terug was geweest. We kwamen om half zes binnen en waren drie uur later pas thuis. Terwijl die ruimte niet groot is. Er is veel gepraat. Jos had het allemaal netjes weggestopt. Voor hem bleek dat bezoek echt nodig, alles kwam weer even boven. Reken maar dat die brandweermannen een knauw hebben gekregen van wat ze die nacht hebben aangetroffen. Het zijn allemaal vrijwilligers, die net als al die andere hulpverleners nooit gekozen hebben om zoveel jongeren verminkt te zien. Eigenlijk hebben de brandweermannen nooit de erkenning gekregen die ze verdienden.'

Voor dit boek poseerden de twee zussen voor het eerst na de dood van hun broer met z'n tweeën. Eerder zou die foto zijn gemaakt op de trouwdag van Ingrid. Annemarie: 'Maar uiteindelijk zijn we naar de begraafplaats gegaan, hebben een bloemstuk bij Eric neergelegd en zijn met hem ertussen op de foto gegaan. Op haar trouwdag had ik het heel erg moeilijk. Omdat-ie er niet bij was. Dat zijn de momenten dat het zich heel sterk laat voelen. Ik had voor de jongens een versje geschreven, dat ze dan voor konden lezen op de bruiloft van tante Ingrid. Dat lees je dan tientallen keren over, totdat het goed is en je het de jongens kunt voordragen. Elke keer als ik het opnieuw las, moest ik huilen.'

Ingrid: 'In de nabij gelegen St.Vincentiuskerk ben ik getrouwd en pastor Mantje ging voor in die trouwmis. Nadat hij eerder Eric had begraven en Annemarie had bediend op haar sterfbed, hadden we hem gevraagd ons huwelijk te voltrekken, want dan maakte hij ook eens wat leuks mee met ons.'

Annemarie: 'Ik zit heus niet wekelijks in de kerk, maar ik vind er rust. Zoals ik mijn angsten voor de toekomst vanwege een eventuele operatie deel met God en met Eric. Dan vraag ik daarbij om kracht. Mijn man Crelis vroeg een tijdje geleden, toen een nieuwe operatie er nog aan leek te komen, of ik bang was. Nee. Ik ben eerder verdrietig. Vanwege het feit dat ik misschien weer een heel jaar uit het onbezorgde leven van mijn kinderen haal. Destijds hebben ze al een bekrompen wereldje gehad, konden ze niet lekker ravotten en voetballen in het Amsterdamse bos, mochten ze vaak niet met vriendjes spelen. Nu snappen ze het beter. Toen hadden ze het gevoel dat ik tegen ze gelogen had, want ik zou snel thuiskomen en dat kwam ik niet. Ze moesten zelfs afscheid nemen. Mocht ik later alsnog onder het mes moeten voor die zware ingreep, dan zal ik hen uitleggen dat het veel langer gaat duren. Maar ik zal ze vertellen dat ik niet dood ga.'

'Tuurlijk zitten in mijn achterhoofd wel eens negatieve dingen, maar de positieve voeren de boventoon. En ik bid veel. Toen ik anderhalf uur in het scanapparaat van het ziekenhuis lag, had ik de rozenkrans meegenomen. Zoals ik die bij pijn vaak meeneem als ik neer bed ga. Na tal van 'wees gegroetjes' val ik vanzelf in slaap. Dat doet meer dan pilletjes, waar je anders steeds naar gaat grijpen. Door Het Geloof heb ik die positieve instelling. Ik zeg tegen m'n oudste zoon ook vaak: als je in God gelooft, is er dus altijd iemand waartegen je kunt praten en aan wie je dingen kunt vragen. Ik geloof dat het goed afloopt. We kunnen wel steeds aan de doden denken, maar wij hebben elkaar nog...' Ze kijkt haar zus aan. Ingrid knikt. En stemt zwijgend in.

TUSSEN HEMEL EN AARDE

RENÉ SCHILDER

Hij was verbonden met De Hemel. Een graag geziene gastheer, die er als barkeeper helemaal op z'n plek was en het de jongere bezoekers vooral naar de zin wilde maken. Als het jaar de laatste maand inging, stond hij te trappelen om het interieur van de bar op te leuken. Om De Hemel in kerststemming te brengen. Zijn creatieve ideeën kregen de ruimte, langs de wanden, aan het plafond. Sfeerverhogend, in De Hemel nog wel. Een bizarre woordspeling. Sfeer verhogend, zo werd in rapport en rechtszaak het gebruik van de sterretjes genoemd, die uiteindelijk die Hemel in diepe rouw dompelden. De takken die hij had neergehangen en dienden als decoratie, ze vatten pardoes vlam en tekenden gezichten. Ook dat van hemzelf. Vanwege zijn band met de bar weigerde René Schilder te capituleren, maar juist op het moment van ingrijpen liet de blusapparatuur hem in de steek. Hij bleef er niet te lang in hangen: hoofd (ideeën), handen (schilderen) en voeten (sporten) wilden verder. Geen oeverloze analyses, geen gezweef. Maar toch, toch bleef er ergens in de pragmaticus een hypothetisch gevoel rondzingen. 'Stel nou dat ik de brandblusser wel los had gekregen...'

Op verzoek maakt hij de foto's voor dit boek. Getroffen en betrokken, maar met zijn kant van de historie trad Schilder nooit zwart op wit naar buiten. Naarmate de tijd vordert, deelt hij meer. 'Het is zo dat het dit jaar meer leeft, maar dat merk ik ook heel sterk om me heen.' Van de zomer ging in Maleisië af en toe het deurtje open van de kamer met dingen van toen. 'De oosterse mensen vroegen het gewoon op de man af. Dat vond ik wel prettig. Bovendien zaten er enkele Nederlandse mensen in onze reisgroep en als je dan meerdere dagen met elkaar op pad bent, komen de vragen vanzelf. Aan de ene kant best gek dat het nu meer leeft, aan de andere kant logisch omdat het straks tien jaar geleden is en ik de foto's ging maken voor dit boek.'

'Maar het valt me op dat meerdere mensen er weer eens over begonnen te praten. Van de week kwam het er bij onze atletiekvereniging AV Edam, waar ik train en training geef, over. Ging het over kaal worden. Zei ik dat ik wel eens zou willen weten hoe het eruit zou zien als ik helemaal kaal zou zijn. Ik denk dat het een slagveld is daarboven, van diverse littekens.'

In de afgelopen jaren kreeg hij stukjes aangereikt. 'Maar ik mis nog steeds deeltjes van de puzzel van die oudejaarsavond. Er zijn zoveel verschillende verhalen. Sommigen zeggen niet 'weg' te zijn geweest nadat het vuur was gedoofd. Ik ben even weggeweest, maar het gekke is dat ik vervolgens zittend aan de andere kant van mijn deel van de bar op een kruk wakker werd.' Hij heeft veel gezien, maar niet alles is bewaard gebleven in het onderbewustzijn. Vertroebeld door morfine en narcose. 'Er zijn dorpsgenoten die destijds geen slachtoffer wilden zijn, maar die juist zoveel hebben gezien. Iedereen heeft het op z'n eigen manier beleefd.

En gaat er dus ook op een verschillende manier mee om. Wat bijvoorbeeld mijn collega-barkeepers van de bar eronder, de Wir War Bar, hebben gezien, dat moet vreselijk zijn geweest. Iedereen werd immers op die verdieping het pand uit 'gebonjourd' en toen de ergste slachtoffers naar beneden moesten komen, werden die barkeepers gebombardeerd tot hulpverleners.'

Iets minder dan een maand eerder was hij juist zo verheugd over het feit dat De Hemel weer in knusse kerstambiance was. Eigenhandig verzorgd. 'Ik was er aan mijn vierde jaar bezig als barkeeper en hing elk jaar met een aantal anderen op enkele doordeweekse avonden de kerstversiering op. De kersttakken gingen vóór Sinterklaas al in een net, aan het plafond bevestigd. Elk jaar ging hetzelfde minidiskje aan met kerstmuziek. Een 'pokkenklus', maar als het klaar was, was je trots. Die reuk, het aangezicht, je kwam dan weer in die sfeer, dat was de beloning.'

'Nooit had ik er aan gedacht dat de boel wel eens in de brand kon vliegen. Waarom zou er iets gebeuren? Het ging altijd zo. Het hoorde bij die maand. En brand, ja, daar dacht je niet aan. Dat gebeurt niet. De sterretjes schenen er een week eerder ook te zijn geweest, tijdens Kerstmis, maar toen hoefde ik niet te werken. In de jaren daarvoor waren ze nooit binnengebracht. De Hemel was op dat moment de populairste bar van Volendam. Er was een vriendenploeg, waarvan sommigen werkzaam waren als barkeeper, die weer veel andere bezoekers trok. Dat is dan weer erg sneu, dat dan juist zoiets met zo'n drukte moest gebeuren...'

Het was, naast de ouderlijke woning en zijn werkomgeving, zijn derde huis. 'Op één of andere manier voelde ik veel verantwoordelijkheid voor De Hemel. Van de barkeepers werkte ik er het langst, samen met Rolf Zwarthoed. Leidinggevende kwaliteiten had ik niet, daar ben ik niet hard genoeg voor. Ik weet nog wel dat eigenaar Jan Veerman, in de weken voor de Nieuwjaarsbrand, langs kwam en zei dat het net met de kersttakken op een bepaalde plaats te laag hing. Was ik niet zo blij met hem, want toen moest dat deel opnieuw.'

'Dat het er superdruk was, dat was gewoon. Op een avond als toen was er op een bepaald tijdstip geen doorkomen aan. Als je reëel bent, was dat onverantwoord. Je kon een rondje maken om de gehele bar, dus er bestond een soort looproute waardoor het nog redelijk circuleerde. Maar als er paniek ontstaat, dan is het hek van de dam en gaat iedereen voor zijn eigen hachie. Gebeurde dit jaar ook tijdens een herdenking in Amsterdam, waar Koningin Beatrix bij was. Begon iemand te schreeuwen en toen was letterlijk en figuurlijk het hek van de dam.'

'Iedere barkeeper had zijn eigen barretje in De Hemel. De sfeer was top. Welke muziek er op dat moment gedraaid werd door Jan Tol, dat weet ik niet meer. Maar ik werd er op geattendeerd door de mensen aan mijn bargedeelte dat er een paar meter verderop iets mis ging. Daarna was het secondewerk. Ik zag kersttakken aan het plafond branden en greep meteen naar de brandblusser. Die hing in een beugel en in plaats van trekken had ik 'm even moeten opliften. Ik wilde actie ondernemen, maar kreeg de blusser niet los en liep toen meteen door naar het deel van de bar waar de takken brandden. Met barkeepers gooiden we ijsklontjes, maar dat haalde weinig uit. We waren machteloos. Ik draaide om en voordat ik het wist was er groot vuur en voelde ik mijn shirtje wegbranden. Ik heb niet gebukt. Waarschijnlijk vanwege dat verantwoordelijkheidsgevoel en het snel willen zoeken naar een oplossing. Dat had wel tot gevolg dat ik behoorlijk verbrand raakte. Regelmatig en helemaal dit jaar, tijdens onze zomervakan-tie in Maleisië, kwam het 'stel nou'-gevoel naar boven. Stel nou dat ik die brandblusser meteen mee kon nemen en had geblust, misschien was die ramp er dan nooit geweest...'

'Dan had ik het misschien kunnen verijdelen. Want toen was het vuur nog niet zo hevig. Nu was het te laat. Tuurlijk is dan de vraag, hoe snel ik die pin uit de blusser had gekregen? Maar toch. Ik weet het, het was secondewerk. En achteraf koop je er ook niks voor. Maar het was een cruciaal moment en dan vraag je je af: wat als het wel was gelukt? Met name het afgelopen jaar heeft dat veel door m'n hoofd gespookt. In dit afgelopen jaar is mijn vriendin Joyce ook veel meer aan de weet gekomen over mijn verhaal van die avond.'

'Als ik echt gewild had, was ik er als één van de eersten uit geweest. Vlak bij mijn barretje was de nooduitgang. Maar die keuze heb ik niet gemaakt. Zoals het een verkeerde keuze was om met lege handen en zonder brandblusser door te lopen naar het bargedeelte waar het vuur was ontstaan. Wat er vervolgens is gebeurd, dat deel is weg. Later ben ik, aan de andere kant, van de bar, zittend op een kruk en mijn armen op de bar leunend, wakker geworden. De goeie God mag weten wat er tussentijds is gebeurd.'

'Ik kan me niet herinneren of ik bij het ontwaken naar het ach-terste deel heb gekeken, daar waar het vuur het hevigst had gewoed. Weet alleen dat er niet zo gek veel mensen meer waren. Sommigen stonden nog in een rijtje bij de gewone uitgang. Zei ik een paar keer dat ze de nooduitgang aan de andere kant moesten nemen. Tot meer was ik lichamelijk niet in staat. Tenslotte was ik op veel plekken derdegraads verbrand. Uiteindelijk ben ik zelf wel via de nooduitgang naar buiten gegaan. Later hoorde ik dat eige-naar Jan Veerman eerder tegen me gezegd had dat ik eruit moest gaan. En dat ik gezegd zou hebben dat 'de kapitein als laatste zijn schip verlaat'. Ik wilde ook niet weg. Voelde me verbonden met die bar. Het meeste is vaag van die periode. En dat is jammer. Aan de ene kant. Aan de andere kant weet ik niet of ik er nou rouwig om moet zijn of juist blij. Mij is gezegd dat het te maken heeft met een bescherming van jezelf. Ik denk ook dat daar dingen gebeurd zijn, die in een film niet nagespeeld kunnen worden. Er gebeurde iets dat je met niets kunt vergelijken.'

Buiten bekeek hij zichzelf. 'Althans, ik zag dat er qua vel een hand aan mijn hand bungelde. Er is me vaak gevraagd of ik pijn gevoeld heb. Helemaal niks. Buiten liep ik door de menigte mensen heen naar beneden, richting de haven, die dichtgevroren was. Ik zag de gaten in het ijs, zag de sneeuw. Als klein jongetje had ik het idee geleerd van 'eerst water, de rest komt later'. Dorpsgenoten Dennis de Boer en Suzan van 't Hoff stonden bij me en ik zag brandweer- man Cees Bont bij me komen. Ik herkende hem en het gaf een gevoel dat het goed was. Hij mobiliseerde twee andere brandweermannen, zodat ik kon worden vervoerd, maar uiteindelijk kon ik nog wel lopen. Mijn moeder en tante zijn ook bij me geweest, voordat ik in de bar ernaast, de voormalige Kakatoe, op een kruk werd gezet. En later op de grond werd gelegen en met water besprenkeld door Maaike van Rees en Lorenz Snoek. Ik heb er behoorlijk lang gelegen, begon al weg te doezelen en ging als één van de laatsten de ambulance in. Toen ik per brancard naar buiten werd gedragen stonden er waar- schijnlijk minder mensen dan dat ik me nog kan voorstellen, maar het leek alsof ik door een erehaag ging, als tijdens een begrafenis...'

'En toen was het een maand later', memoreert hij zijn moment van bijkomen in het Rode Kruis-ziekenhuis van Beverwijk. Hij balanceerde enkele malen op de rand van de dood. 'Ik heb er geen besef van gehad dat het een aantal keren gebeurd is dat de arts iets positiefs wilde overbrengen aan mijn ouders, maar het niet kon. Eén van mijn beste vrienden, Saul Jonk, schreef destijds met zijn Volendamse band een liedje over mij. Met zinnen dat er 'schijnbaar nog plannen waren en ik nog niet weg mocht'. Daar ben ik blij om. Het is te mooi om hier niet te zijn. Tuurlijk moet je het daar zelf ook naar maken. Maar er zijn genoeg dingen om blij te zijn dat je hier mag zijn.'

'Daarom ben ik blij dat ik het heb overleefd. Je bent tenslotte in handen van de artsen. Op een gegeven moment ontdekten ze dat er vocht achter mijn longen zat, waardoor de medicatie ook nauwelijks aansloeg. Toen dat opgelost werd, ging het snel. Mocht ik een keer van m'n bed af proberen te komen, in een stoel zitten en dan weer het bed in. Dat was als het winnen van een marathon.'

Het parcours dat daarna diende te worden afgelegd, kende een duur van enkele weken maar met het karakter van de zwaarste uitputtingsslagen. 'Het heeft enorm geholpen bij mijn herstel dat ik ouders heb met veel nuchterheid. Het werd zoiets van 'opstaan en weer doorgaan'. Dat ging echt niet vanzelf, maar de wil was enorm. Keek ik in het ziekenhuis uit het raam en zag buiten de sneeuw. Dan was ik met mijn hoofd al bij de training van AV Edam, het knarsen van de sneeuw onder je schoenen horend. Maar toen kon ik nog niks. Gaandeweg werd ik sterker en probeerde ik steeds een stapje meer te doen. Als de ene Volendammer in het ziekenhuis zo'n stukje had gelopen, moest ik een paar meter verder. Ik wilde iets bewijzen, bewijzen dat ik nog leefde. Zo hebben ze één van de dorpsgenoten die in Beverwijk lag, naderhand op mijn kamer gelegd, in de hoop dat hij zich aan mij zou optrekken.'

Verdere nazorg, op het psychische vlak, was aan Schilder niet besteed. Type 'beentjes op de aarde houden'. 'De ramp was zoveel omvattend, dat het zeker noodzakelijk was dat er nazorg kwam en bijvoorbeeld ook een tijdelijke polikliniek in het dorp. Als brand-slachtoffers hadden we het wat dat betreft niet slecht. Misschien zullen bepaalde andere groepen zich wat vergeten voelen, zoals de ouders van overleden jongeren. Ik had het niet nodig, het psychische deel van de nazorg. Maar voor anderen was het wel welkom, en er waren genoeg aanspreekpunten. Ik was vooral vertrouwd met de sociaal werker van het ziekenhuis in Beverwijk. Mocht me iets overkomen, dan was zij mijn 'anker'.'

'Ik maak er geen geheim van dat ik een paar keer niet lekker in mijn vel heb gezeten en onder invloed van wat alcoholische versna-peringen tranen heb gehad. Dat laatste luchtte dan ernstig op. Zo heb ik na een avondje stappen eens een tijdje in het portiek van de Wir War Bar gezeten en kwam alles ineens eruit. Wat dan ook bovenkwam, was het gemis van die speciale sfeer in De Hemel. Het was zo'n succes, iedere week volle bak. Het was genieten.'

'Toen één van de andere barkeepers van De Hemel trouwde, moest ik op een gegeven moment even naar buiten. Er klonk behoorlijk veel muziek uit die bewuste periode tijdens het huwelijksfeest en toen kreeg ik een knakje en moest het even los. Buiten op een stoepje belde ik met Saul. Dat was prettig. Hij heeft het ook meegemaakt en met hem kun je een goed gesprek voeren. Het is een wijs man.'

'Hij heeft het over mij geschreven liedje vaker gezongen. In 'Made in Heaven' zingt hij over 'God gave me back my friend'. Die keren dat ik aanwezig was bij een optreden, moest ik elke keer behoorlijk slikken. Het gaat over dat ik een tweede kans krijg. Dat ik dank-baar moet zijn dat ik die krijgen mag en nog niet weg hoef. Als dat live over je gezongen wordt, lopen de tranen over je wangen.'

Buiten die emotionele momenten om ging hij nooit door diepere dalen. 'Veel hangt volgens mij af hoe je zelf tussen de oren bent. Als je een 'zwaar op de hand-karakter' hebt en zoiets meemaakt als de Nieuwjaarsbrand, kan het ontzettend zwaar worden. Ik heb een omgeving die erg toegankelijk is. Mijn ouders zijn uniek nuchter, vooral mijn vader. Mijn moeder is zeer zorgzaam en dat tezamen, ik ben blij dat ik zulke ouders heb. Dat heeft me enorm geholpen. Daarnaast had ik vrienden om mee te praten en weer te lachen en bij atletiekvereniging AV Edam kwam ik meteen weer in het warme nest dat deze club is. Ik werd opgepakt en geaccepteerd. Er werd me zelfs de kans gegeven om de trainingen over te nemen van een persoon die niet te vervangen viel.'

'Ik denk dat het ook een voordeel is geweest dat ik ten tijde van de Nieuwjaarsbrand niet de jongste was en al vaker op mezelf buiten Volendam was geweest. Dan is er niet zo'n hoge drempel. In het dorp zelf werd het je sowieso gemakkelijk gemaakt om er mee om te gaan. Iedereen wist het van je dat je verbrand was. Voor mijn gevoel verliep het soepeltjes. Maar ik kan me voorstellen dat het moeilijk kon zijn voor jongeren zonder brandwonden, bij wie het niet goed tussen de oren zat. Mensen zien het niet aan je en als je dan ook nog eens de slaap niet te pakken krijgt, dat gaat het gauw. Dan moet de nuchterheid over boord en moet je zelf de stap nemen om aan de praat te gaan.'

'Gaandeweg ontstaan de fases dat je er gelukkig niet meer elke dag mee bezig bent. Ik heb nog niet nagedacht over wat ik straks op 31 december en 1 januari ga doen. Aan de ene kant wil ik wel een paar dagen weg, aan de andere kant wil ik wel hier zijn, omdat het tien jaar geleden is. Nee, ik heb er niet aan gedacht om de hele ploeg van barkeepers en medewerkers van destijds bij elkaar te halen. Ik denk dat zoiets eerder informeel ontstaat, met individuele gesprekjes. Ongedwongen.'

'Met een aantal van hen ben ik nog close. Dan voel en merk je dat sommigen er nog behoorlijk vol van zitten en moeite mee hebben. De toenmalige bedrijfsleider John Veerman is een vriend van me geworden. Hij was destijds de juiste man op de juiste plaats, zoals eigenaar Jan Veerman ze toen kon neerzetten. John heeft nog heel veel op zijn netvlies staan, heeft veel gezien en gedaan die nacht en ook daarna een goede rol gespeeld. Gaat er goed mee om. Hij was tussenpersoon als het om de eigenaar en zijn personeel ging. Jan kon snoeihard zijn, iedereen keek tegen hem op en ik kan me voorstellen dat mensen hem zien als iemand zonder gevoel. Maar ik had wel een band met hem en hij heeft me daarna gesteund. Ik heb met hem te doen gehad. Of er nou vóór en na de ramp fouten zijn gemaakt, niemand wilde dit en had ooit gedacht dat dit kon gebeuren... De samenloop van omstandigheden maakte dat het compleet mis ging.' Met beide benen en een vette glimlach staat hij in het huidige leven. 'Inmiddels zijn onze levens behoorlijk veel verder. En is er weer een hoop gebeurd. In de jaren erna heb ik meerdere operaties ondergaan, onder meer aan mijn hoofd, in de hoop dat er meer haar op zou komen. Door middel van vernuftige operaties. Er werd een ballon onder de hoofdhuid aangebracht, waardoor ik een enorm hoofd had. De operatie viel tegen, het werd een lichamelijke en geestelijke lijdensweg. Het aangezicht werd namelijk per dag enger. Als het gelukt was, was ik klaar geweest en had ik weer een kop met haar gehad, maar het haalde niet het gewenste effect.' 'Het was achteraf gezien te vroeg om het te doen. Mijn hoofdhuid zat toen en zit nog altijd vol met wondjes. Tien jaar later nog. Ik moet binnenkort weer naar het Brandwondencentrum in Beverwijk, dan zullen ze ongetwijfeld weer zeggen dat het nog onrustig is op mijn hoofd. Zij hebben vermoedens dat er nog iets van kerstversiering onder mijn hoofdhuid zit. Het zal toch niet. Als je dan wat zorgen hebt, of je hebt even niks te doen – wat niet vaak voorkomt – dan ga je wel eens krabben aan je hoofdhuid en dan gaan de wondjes weer open... Ach, er zullen nog wel wat operaties volgen de komende jaren. Ik wil nog iets aan mijn oksels laten doen. Sokken aantrekken gaat lastig, omdat mijn huid meer ruimte nodig heeft om er bij te kunnen.'

Het is maar goed dat hij zijn handen nog kan gebruiken. Creativiteit zit in de familiaire aderen. Fotografie, schilderkunst. 'Ik kan met liefde heel vroeg opstaan om de opkomende zon te fotograferen vanaf de dijk aan onze haven, in de zomer en in de winter. Bij het schilderen ben ik geïnspireerd door een kleurrijke oom en dat doe ik voor de ontspanning. Ik ben blij dat het me goed af gaat en met wat er uit mijn vingers komt. Stiekem hoop ik in de toekomst meerdere schilderijen te gaan verkopen. Een beetje commercieel schilderen, dat kan ik wel. Ik zou ook wel eens een schilderij willen maken van Nico Kwakman, die overleed bij de Nieuwjaarsbrand. Hij werkte er ook vaak als barkeeper. Ik heb veel met hem gedeeld en we staan samen op de foto achter de bar van De Hemel. De onderlinge sfeer, die komt nooit meer terug. Die was bijzonder.'

WIE JE WAS IS WIE JE BENT

MARGA SMIT

Als jonge tiener trok het leger haar aandacht. Maar in plaats van de ontberingen die een eenheid van de Koninklijke Landmacht voor de kiezen kan krijgen, werd in een geheel andere hoedanigheid heldhaftigheid van haar gevraagd. Behoudens de strijd tegen de lichamelijke en geestelijke pijn, moest Marga Smit (24) regelmatig verdediging voeren, om te kunnen zijn wie ze geworden was. Vervroegd stapte zij in de wereld van de grote mensen en bleek ondubbelzinnig dat niet alleen zij, maar ook haar omgeving was veranderd. Ondertussen studeerde zij af aan de Universiteit in het vak economie. Maar meer dan dat vergaarde de Volendamse praktijkkennis van het leven, op het gebied van het verbrand zijn, de omgang ermee en hoe de mensen om haar heen er mee omgingen. Tussen compassie tonen en doorgaan zat een dunne lijn, met soms wrede consequenties. De foto van die oudejaarsavond vormt de link met het verleden. Maandenlang lag Marga Smit in het brandwondencentrum van Beverwijk en daarna in Heliomare. Het volleybaltalentje van toen vertelt openhartig over de (on)mogelijkheden en de heroïek van het heden. Pasgetrouwd en bedwinger van de top van de Kilimanjaro. Denkbeeldig kan er een kruisje worden aangevinkt bij het hokje van de optie 'geschikt'.

Het duurde destijds lang voor ze, eenmaal bijgekomen in het ziekenhuis, haar lichaam voor het eerst zag. 'Als ik door de verpleging werd gewassen, hielden ze lange tijd een washandje voor mijn gezicht, zodat ik het niet kon zien. Spiegels waren afgeplakt en ruimten zoals de kamer waar je lag, die hadden geen spiegel. Na vijf weken werd ik wakker. Lag ik nog een week aan de beademing. De langste week uit mijn leven. Als je met zoveel vragen zit, maar niet kunt praten. Wat was er gebeurd? Ik had het gevoel dat ik de enige was die in het ziekenhuis was beland. Ik kon me ook niet meer herinneren waardoor het allemaal gebeurd was.'

Weggevaagd. Net als het onbezorgde leventje, dat in volle bloei stond. 'Ik kon wel steeds gaan kijken naar wat ik vóór de ramp had; of ik keek naar wat ik daarna nog had en daarmee verder gaan. Als ik die foto zie van vlak vóór het vuur, denk ik: *zonde. Dat is niet meer.*'

'Het was eigenlijk de eerste keer dat we écht vanaf het begin van de avond in De Hemel zaten. We gingen er wel eens heen, als we bij vriendinnen thuis hadden gezeten en dan nog een uurtje naar die bar gingen. Dat ging er gewoon aan toe, niet veel alcohol. Daar was ook geen geld voor. En het ging stiekem, want mijn ouders waren het er niet mee eens.'

Momenten van die bewuste avond, tot een half uur voor de jaarwisseling en minder dan een uur voor de brand uitbrak, zijn vastgelegd. 'Die foto's, ja. Die met de handen in de lucht is van rond half twaalf. Als je dan de foto van mij ziet van een paar uur daarna, als mijn verbrande lichaam is schoongemaakt in Beverwijk en klaar is voor operaties, dan ziet dat er héél anders uit. En kun je nauwelijks begrijpen dat het nog zo geworden is, zoals het nu is. Op die foto's had ik zelfs mijn handen nog. Maar

het werd zwart, dus er moesten vingers geamputeerd worden.'
'Veel weet ik er niet meer van, die nacht. Alleen dat ik op de weg terug was naar mijn barkruk toen het vuur op me afkwam. Ik wilde wegduiken, maar dat kon niet meer. Ik lag en viel weg. Ze hebben me naar de bar eronder, de Wir War Bar, gedragen en daar hebben ze me steeds met water besprenkeld en wakker proberen te houden door me vragen te stellen. Wie *zij* waren, weet ik, op een enkeling na, niet meer. Maar zij weten wel alles van mij, want ik bleef maar hetzelfde verhaal vertellen over wie ik was, wie mijn ouders waren en waar ik met vakantie was geweest.'
'Ik weet nog dat de ambulancezuster tegen me zei dat het allemaal goed zou komen. Later vertelde ze tegen mijn ouders dat ze nooit had gedacht dat ik het zou overleven. Dan moet je dus eigenlijk liegen tegen zo'n patiënt. Best wel een raar beroep.'

Bij Marga begonnen net als bij vele andere slachtoffers na het ontwaken in het ziekenhuis de dwaze dromen door de vele narcose en morfine. 'Ik weet nog dat ik me in een ananas bevond en het vuur heel dichtbij kwam. Ik had het gevoel dat ik niet weg kon. Iets wat ik waarschijnlijk onbewust die rampnacht heb gevoeld. In die droom waren mijn ouders, zittend in een bootje, ook dicht bij me. *'Het komt goed'*, zeiden ze. *'Het sap moet er alleen even uit'*, voegden ze daar aan toe.'
Maandenlang was ze aan bed gekluisterd, waaraan ze onder meer hoog bezoek kreeg van Peter Blangé, de huidige bondscoach van de volleybalmannen. Alsof ze pas was geboren, moest ze alles weer leren: lopen, haar verminkte handen gebruiken, eten, drinken. Daarbij kwam de dreun van de mededeling dat ze niet alleen in het hospitaal lag opgenomen. Dat er zelfs generatiegenoten al

dood en begraven waren. 'Het is heel vreemd dat er in zo'n kleine ruimte als die bar zoveel verschillends is gebeurd. Ik was er erg aan toe, maar kan tóch weer functioneren, terwijl er andere jongeren waren die geen brandwonden hebben opgelopen, maar vertrapt of gestikt zijn en het niet hebben overleefd. Nico Veerman, een jongen die ik goed kende, overleed door grote longschade.'

'En Anja Kok, die aan de tafel naast ons zat die avond. Ze ging een half jaar na de Nieuwjaarsbrand alsnog dood. Wat niet had gehoeven. Maar er is medisch iets mis gegaan. Een superzwarte periode. Heb je alles meegemaakt, zoals zij, schuifel je weer een beetje door de straat heen en dan heb je nóg geen zeggenschap over je eigen lichaam. Ze kreeg problemen met een bacterie op haar hartklep. Ik zag haar voorbij gaan toen ik in het weekeinde even haar huis mocht en in een bed lag voor het raam. Vanwege de MRSA-bacterie mocht ze niet naar binnen en m'n vader had nog gevraagd of het mogelijk was dat ze even naar het raam kon komen, zodat we misschien toch even konden praten, ook al was dat met een raam ertussen. Dat is helaas nooit gebeurd. Het was de laatste keer dat ik haar heb gezien. Een paar weken later was ze dood. Dat ze het toch heeft moeten verliezen, zo oneerlijk...'

'Het was sowieso niet te bevatten. Zo jong en dan in één buurtje, in een omtrek van honderd meter, vijf jongeren die er plots niet meer waren. En dan al die verbrande jongeren nog die in de ziekenhuizen lagen. Dat hoop je toch nooit mee te maken. En ik heb het ook in het begin niet meegemaakt, omdat ik nog kunstmatig in coma lag in het brandwondencentrum. Toen ik wakker werd, had ik ook het gevoel dat dat beginstukje van me is afgenomen, dat ik het niet 'meebeleefd' heb. Dat een vriend als Nico al was begraven, waar ik niet bij was. Dat was zo onwerkelijk. Toen Anja half juli overleed en werd begraven was ik lichamelijk niet sterk genoeg om bij de begrafenis te zijn. Toen heb ik de uitvaart via de lokale radio gevolgd, kon ik er toch een beetje bij zijn.'

De tijd stond stil. 'In veel situaties kwam ik op achterstand. Soms voel ik dat nog wel eens. Heb ik het gevoel dat ik mezelf twee keer moet bewijzen, om te laten zien dat ik hetzelfde kan wat een gewoon iemand kan. Daar gaat veel energie in zitten.'

Terwijl ze zo zuinig om moest springen met haar krachten, ging veel energie verloren aan het proberen te snappen van andermans onbegrip. 'We hebben destijds ontzettend veel steun gekregen. Maar er ontstonden ook andere situaties. Onbegrijpelijke situaties. Zoals dat mijn moeder verstoten is door een deel van haar familie. Je vraagt je steeds af waarom? Misschien omdat die mensen zagen dat het bij ons en met mij goed ging: studie, een baan, trouwen, een huis. De getroffenen hebben destijds via de Stichting Slachtoffers Nieuwjaarsbrand Volendam geld van de overheid gekregen. Als compensatie, voor onvoorziene uitgaven en om een bestaan op te bouwen. Kennelijk werd dat ons door sommige mensen misgund. Die zien na verloop van tijd de verhoudingen niet meer. Zijn vergeten waar je toen doorheen moest en nog steeds doorheen moet. Die mensen weten niet dat ik naderhand nog 25 keer ben geopereerd. Dan denk ik: *jij zou eens een weekje mij moeten zijn.* Dan gaan ze vast anders denken.'

'Kennelijk kon het wel weer met de aandacht voor ons en had dat soort mensen een hunkering naar aandacht. Het was soms zo hard en confronterend. Dat mensen met bepaalde woorden zeiden: je hebt geld gehad van de overheid en je moet weer verder gaan. Terwijl je met een handicap verder moest leven. M'n hand is weg, plus dat je er anders uitziet. Mensen zijn me anders gaan zien.'

'En wij hebben er niet om gevraagd. Niet om het verbrand worden en niet om het geld. Het voelde alsof de ruzie in de familie door mij kwam. Als ik niet verbrand zou zijn geraakt, was alles nog goed geweest. Anderzijds ben je ze liever kwijt dan rijk, als het op zo'n manier moet. Maar ik blijf het een ongelofelijke situatie vinden en verschrikkelijk voor m'n moeder. Ik weet dat ze er talloze nachten van wakker heeft gelegen en nog wel eens ligt. Dat snap ik ook wel. In het begin zat ik er ook mee als iemand iets zei wat niet leuk was, maar ik heb het proberen los te laten. Er is elke dag wel iemand in het leven die iets van je vindt. Weet je, het is zo gemakkelijk redeneren als je dit, het verbrand zijn, niet hebt. Ik heb moeten leren te accepteren dat niet ieder mens dezelfde geestelijke capaciteit heeft. Als het er niet in zit, qua inlevingsvermogen, kan het er ook niet uit komen. Of er moet henzelf of hun naaste iets overkomen. Dan komt het misschien wel.'

'Eén familielid zei zelfs dat het mijn eigen schuld was. Tenslotte was ík op te jonge leeftijd naar die bar gegaan. Dan sta je toch wel even te kijken, als je daar ligt te overleven en zoiets wordt gezegd. Mijn ouders hebben altijd geprobeerd mijn broer en zus ook de nodige aandacht te geven. Het meeste ging immers naar mij. M'n oudere broer kon er niet zo goed over praten, m'n jongere zusje ging ondertussen haar eigen gang, maar gaandeweg merkten we dat het niet goed ging met haar.'

'Ik was in die tijd bezig met de studie Psychologie aan de Universiteit. Woonde nog thuis en herkende bij haar kenmerken van psychische problemen, vormen van depressie. En ik wilde haar héél graag helpen, stak er veel energie in, maar kreeg niets terug. Heb ik haar voorgesteld om met iemand te gaan praten. Werd ze aanvankelijk boos op me, maar later kwam ze tot inzicht. Het waren moeilijke gesprekken. Als je jongere zusje zegt dat zij zich eigenlijk nooit goed voelt, dan doet dat zeer. Zoiets is aanvankelijk ook moeilijk te begrijpen, als je het zelf niet hebt. Ze ziet er goed uit en als het nou met mij goed gaat, hoe kon het dan met haar niet goed gaan? Ze kijkt tegen mij op en beoordeelt zichzelf ook op die manier; ze vond dat ze de dingen in het leven niet zo goed deed als dat haar oudere zus het deed. Haar psycholoog vroeg haar een lijstje met positieve dingen op te schrijven. Dat vond ze heel moeilijk, omdat er bij haar altijd een 'maar' achter komt. Zo kreeg de psycholoog meer inzicht in haar gedachtegang.'

'Gelukkig gaat het wat beter inmiddels, maar ze slikt nog wel antidepressiva. Ik hoop dat we samen de goede weg weer vinden, zonder dat daar een 'gelukmaak-stofje' als medicijn voor nodig is. Ik heb me een tijdje lang schuldig gevoeld. Omdat alles te maken heeft met wat er met mij is gebeurd en je je op die momenten afvraagt hoe het zou zijn als dat nooit was gebeurd. Maar dat heeft geen zin. Ik zie haar gelukkig weer lachen. Ik vond het moeilijk om te zien dat het niet goed met haar ging: ben je zelf van zover gekomen en gaat het goed; zie je je zus op haar achttiende niet gelukkig zijn. Dat je ziet dat haar leven niet leefbaar is.'

Haar eigen hersteltraject kende meerdere hindernissen. 'Het moeilijkst was, dat ik mezelf moest accepteren. Wat daarbij kwam, was dat andere mensen me opnieuw moesten leren kennen. Mensen groetten me aanvankelijk niet omdat ze me niet herkenden. Ik had geen druk op me dat ik meteen weer mezelf moest zijn. Het heeft gewoon een jaar geduurd voordat ik de Marga was van vóór de Nieuwjaarsbrand. Je bent zoveel energie kwijt aan het herstel van je lichaam. Sociaal had ik niets. Ik had mezelf, had ons gezin, enkele mensen die af en toe op bezoek kwamen.'

'Ik was heel stil, had heel soms die droge humor zoals ik die voorheen vaker had. Lichamelijk had ik geen fut, terwijl ik voorheen een heel ander type was: uitbundig, aanwezig, mensen wisten dat ik er was. Maar wanneer ik in dat eerste jaar visite kreeg, zei ik weinig. Zeiden m'n ouders als de deur dicht ging en het bezoek weg was: *'je moet wel wat zeggen'*. Maar wat moest ik vertellen? Ik had de energie niet en ik maakte niks mee. Alleen de niet leuke dingen, dat maakte ik mee. Ik moest geduld hebben, kon lichamelijk weinig initiatief nemen om het beter te maken.'

In de vriendinnengroep liep het allesbehalve soepel. Meiden, ze waren nog zo jong en al zag je het niet aan iedereen af, hun jeugd was verwond geraakt. Hoe te handelen? 'Sommige vriendinnen zeiden: *'je bent niet de Marga die we kennen'*. Ja, dat wist ik zelf ook wel... Maar wat verwachtten ze nou? Als ik wel de deur uit zou gaan, moesten zij mijn broek los en vastmaken wanneer ik naar toilet moest. Ik dronk door een rietje. Dat je dan niet kunt begrijpen dat ik niet zo uitgelaten ben als voorheen. Ik had alle kracht nodig om te overleven.'

'Voor de meiden aan wie je het niet kon zien dat ze er bij waren geweest, was het ook moeilijk. Dan krijg je al snel te horen dat je er goed van af bent gekomen. Terwijl je misschien heel veel hebt gezien die nacht, of juist een heleboel onder je kleding hebt qua verwondingen. Dat wordt dan niet erkend. Van onze vriendinnengroep waren er twee ernstig verbrand, Laura en ik. We bleven eigenlijk met z'n tweeën over. Ook omdat wij nog geen verkering hadden. En het liep niet echt lekker. Uiteindelijk is de groep uit elkaar gegaan. Laura en ik zijn naar meiden toegetrokken die ook bijna allemaal verbrand zijn. Je bent al getekend voor het leven, jammer dat sommige vriendinnen je dan niet meer begrijpen of zien staan. Ik moest me vaak verdedigen, heb in die tijd ook best veel gehuild.'

'Ik ben inmiddels weer wie ik was. Maar wel harder geworden. Waai niet met alle winden mee. Als ik het ergens niet mee eens ben, zeg ik dat. Onderbouwd. Da's misschien niet leuk, maar wel eerlijk. Ik was zo op mezelf aangewezen, dan leer je ook zoveel over je zelf.'

'Er wordt zoveel gezegd over elkaar. Terwijl mensen vaak de kern van de waarheid niet kennen. Iedereen heeft wel wat, een probleem of een zorg. Niet altijd zichtbaar. Ik denk altijd lang en goed na over situaties eer ik iets zeg. Sommigen roepen meteen iets ondoordachts, omdat ze hun hart even kunnen luchten. Maar verliezen er alleen maar mee. Het is een beetje van deze tijd: je moet vooral voor jezelf opkomen. Is misschien ook zo, maar je moet wel goed nadenken over wat de gevolgen kunnen zijn van een woord of een actie.'

Ze heeft door de geschiedenis een dikke huid gekregen. 'Ik heb een zeldzame huid', lacht ze als een boer met kiespijn. 'Van zichzelf al heel strak. Da's volgens mij wel mooi als je 'goed' bent, maar niet in dit geval, met brandwonden. Bij een operatie bleef van een stuk huid van 28 cm maar 1 cm over. Ik heb een 'dwarse' huid, zeiden de chirurgen. Ze hadden nog nooit een huid gezien die zo kromp. Ze hadden zelfs moeite om me in mijn lichaam te houden. Inmiddels weet ik veel van dat lichaam. Bij recentelijke operaties overlegde de chirurg ook met mij, ik ken mijn huid. In de eerste maanden en daarna heb ik als het ware college gekregen met betrekking tot mijn lichaam. Er is vaak gesuggereerd dat het qua brandwondenverzorging in België beter is, maar als je niet in beide landen hebt 'gelegen', weet je dat niet.'

Hoe vaak de donkere wolken zich ook boven haar formeerden, ze prikte er altijd doorheen, zodat de zon scheen. 'Toen ik geen verkering had, was ik ook heel gelukkig. Je moet het zelf ook leuk kunnen maken. Ik miste niks. Tuurlijk spookte de vraag wel door de hoofden van meiden, of je 'zo verbrand' nog wel interessant bent voor de jongens. Dat werd nooit echt zo aan tafel besproken, dat dacht ieder voor zichzelf, denk ik.'

'Of je nou een jongen of een meid bent, je gaat toch in eerste instantie op iemand af om zijn of haar uiterlijk. Ik verzorgde mezelf wel, hield een sportief lichaam. En was benaderbaar. Als ik eens buiten Volendam was, raakte ik ook in gesprek met jongens. Eenmaal aan de praat, dan 'zagen' ze na verloop van tijd dat er niks mis was met mij.'

Het woord is gevallen. Verkering. Ze kreeg met Peter Veerman, voor haar een redelijk onbekende, maar geen onbekende met de Nieuwjaarsbrand en de gevolgen daarvan. Marga: 'Peter en zijn vrienden zouden die oudejaarsavond van 2000 naar De Hemel. Brak een vriend van hem op die dag zijn been. De trap op naar De Hemel ging niet, dus zaten ze die avond bij de ouders van Peter thuis, in plaats van in De Hemel. Dat vond hij toen erg, maar achteraf was hij heel blij. Hoe raar het kan lopen...'

Niet veel later gingen de vrienden van Peter samen met een andere vriendengroep Volendammers, waarvan het grootste deel verbrand raakte tijdens de rampnacht. En tijdens een avond uit ontmoette hij Marga, met wie hij inmiddels is getrouwd, onlangs, op 18 september. Marga: 'We zaten een paar keer op dezelfde feestjes en kenden elkaar eigenlijk niet. Tot we in gesprek raakten en een klik hadden. We beledigden elkaar opzettelijk en hadden veel lol. In de jaren vóór Peter was er eigenlijk weinig gebeurd, wat vriendjes aangaat.'

'Ik had geen klagen, hoor, moest zelfs jongens afwimpelen', glimlacht ze. 'Zeiden ze dat ik bindingsangst had. Ach. In de bar ben ik het type dat open en benaderbaar is. Ging ook altijd even staan in plaats van de hele avond op een barkruk zitten drinken. Het was grappig om te merken dat andere – niet verbrande – meiden vroegen hoe ik dat nou deed, als ik met jongens had staan praten en vooral lachen. Zo was ik vóór 'de brand' ook al. Als ik dan een rondje door de bar maakte, kwam ik soms pas na een uur of twee terug bij de tafel met vriendinnen. Voor mij was dat vanzelfsprekend. Ik wilde ook niet afhankelijk zijn van anderen om een leuke avond te hebben. Dan hoefde ik me niet te conformeren aan een bepaalde groepsidentiteit.'

'Ik kan trouwens goed met mannen overweg. Ben meer een 'mannenvrouw' dan een 'vrouwenvrouw'. Praat niet graag mee over onderwerpen als make-up of je haar. Het gaat niet om dat likje make-up; het gaat om wie je bent.' Een verbrande vrouw heeft echter wat meer praktische problemen. 'Bepaalde dingen duren misschien wat langer. Een aantal van Peter's huidige vrienden zijn ernstig verbrand geraakt, zoals Lou Snoek. Toch merkte hij, toen wij met elkaar waren, wat meer hoe het is om verbrand te zijn. Omdat hij het dagelijks van dichtbij zag en ziet waar ik tegen aanloop.'

Hun relatie deed de wenkbrauwen fronzen. 'Veel reacties komen dan via via bij je. Ik kon me voorstellen dat zijn ouders verbaasd reageerden toen ze hoorden dat hij met mij ging, omdat ik misschien niet helemaal 'normaal' ben en zij mij nog niet kenden. Sommigen zeiden dat hij het misschien uit goedheid deed. Mijn eigen ouders hadden tegen andere mensen gezegd dat ze bang waren dat het misschien maar voor even was, angstig dat ze waren dat ik weer een klap zou krijgen. Begrijpelijk misschien. Ik ben mijn vader en moeder ontzettend dankbaar voor alles wat ze hebben gedaan en nog steeds doen.'

Tegenover de gelukzalige gevoelens van verliefdheid stonden meerdere curieuze confrontaties. 'Er kwamen verschillende reacties op onze relatie. In die tijd zeiden mensen tegen mijn vriendinnen of bijvoorbeeld tegen Peter's ouders: *'Peter is zo'n leuke jongen, waarom gaat hij dan met haar?'* Dat is wel hard, als dat je ter ore komt. Terwijl ze mij niet kennen. Soms begreep ik de mensen niet met hun reacties. Leek het alsof een jongen zich eroverheen moest zetten om met mij te gaan. Peter ging met mij omdat ik ben wie ik ben. Had ik net jaren gevochten om daar te komen waar ik was, moest ik met die reacties omgaan. Mensen weten niet wat het is om mij te zijn, verbrand te zijn. Je verwacht dan geen bekrompen gedachten van mensen.' 'Als Peter en ik nou vóór 'de brand' hadden ontmoet, dan had niemand wat gezegd... Ik ben dezelfde persoon gebleven. Oké, niet helemaal dezelfde. Ik heb veel meegemaakt. Veel geleerd van hoe mensen in elkaar zitten, geleerd hoe ik zelf in elkaar steek. Toen, vóór de brand, was ik veertien, was ik naïef. Later merk je dat het leven wat ingewikkelder in elkaar zit.' 'En zie je ook hoe zuinig je met je lichaam om zou moeten gaan. Ik was het al, maar ben me daar nog bewuster van geworden. Want je ziet het, op één avondje kan het zomaar voorbij zijn. Ik heb gewoon mazzel gehad dat ik destijds in goede conditie was. In het ziekenhuis bleef er weinig van me over. Op een gegeven moment woog ik 43 kilo. Ik moest dus alles eten om aan te sterken.' Zo fragiel als toen, was ze bepaald niet toen de liefde tussen haar en Peter opbloeide. In zekere zin nog wel kwetsbaar. 'Maar ik had er geen moeite mee mezelf voor het eerst bloot te geven, lichamelijk dan. Zoiets bouw je op, althans, zo ging het bij ons. En ik voelde geen onzekerheid.' Pure liefde gaat veel verder dan alleen de lichamelijke aantrekkingskracht. Peter: 'Ik ben voorzichtig met mezelf te geven, geef me niet aan iedereen. Ze is verschrikkelijk leuk en daar gaat het om. Het is een maatje. Andere jongens zeiden tegen me: *'ik zou het niet kunnen'.'* Marga: 'Wat je ziet is niet mooi. Het is ook niet echt lelijk. Maar ik kan er niet meer van maken.'

'Als wij over straat lopen, zie je de mensen kijken. Als ik met een minder mooie jongen aan m'n zijde had gelopen, hadden ze dat misschien niet gedaan. Op het kantoor waar ik werk liet ik een foto van Peter zien. Ik zag dat ze verrast waren. Normaal gesproken gaan mooie mensen met mooie mensen. Wij passen niet helemaal in dat plaatje.' Peter: 'Jij bent toch een mooi mens.' Marga glimlacht: 'Hij zegt best vaak als ik opgefrist de trap af kom, dat ik er goed uit zie. En ik weet dat hij dat meent. Peter is extreem leuk. En dat hij er ook leuk uitziet, is mooi meegenomen. Als je ziet hoe hij eruit zag toen ik hem leerde kennen, dan is-ie alleen maar knapper geworden,' lacht ze.

Wat de twee daarnaast gemeen hadden, was dat ze hun zangkunsten zo nu en dan aan een groter publiek toonden dan alleen in de badkamer. Peter zat in het voorbije decennium enkele jaren in een bandje, Marga zong voor de Nieuwjaarsbrand al geruime tijd in het Volendamse Petrus-koor. 'Mijn stem is flink aangetast, mede door de tube die ik steeds binnenkreeg toen ik aan de beademingsapparatuur lag. Ze hadden vaak grote problemen met het inbrengen, omdat een stuk nekvel steeds kromp en mijn mond niet wijd open kon. Eén stemband sluit niet goed meer. Maar goed, zingen was niet het allerbelangrijkste. Lange tijd had ik zelfs geen kracht om te praten.'

'Toch begon ik later weer te oefenen met het koor. Met Kerstmis 2001 deed ik in de kerk voor het eerst weer mee. Dat was heel bijzonder, vooral voor de mensen om mij heen. Zo ervoer ik dat zelf minder, maar niemand had gedacht dat ik weer bij het koor aan zou sluiten. Het zijn allemaal dingen die je daarvóór deed en die je weer moet proberen op te pakken. In het begin had ik qua stem geen hoog bereik en was het slecht, maar het werd steeds wat beter.'

Ze is een doener. Alleen moet een brandwondenpatiënt een langere weg afleggen eer een revolutionair resultaat wordt bereikt.

'Er werd ons in het begin allerlei hulp aangeboden. De Stichting Slachtoffers zorgde ervoor dat we laptops kregen, zodat we met de getroffenen op msn konden. In die tijd moest je nog echt een tijdstip afspreken, maar meestal was het na schooltijd wel druk op het net. Omdat ik nog niet goed kon typen, zat ik er nauwelijks op, of ik moest iemand anders het laten doen. Inmiddels kan ik het zelf. Terwijl ik zoveel vingers verloren heb. Maar je went jezelf een manier aan. Dat valt een ander op, mezelf niet meer. Daar ben je mens voor. Je past jezelf aan. Als je naar onze vriendinnengroep kijkt, bijna allemaal hebben ze verbrande handen, maar allemaal anders. Iedereen heeft weer een andere beperking.'

'Operaties? Ik heb er 42 gehad, waarvan misschien 17 in de tijd dat ik nog in coma lag. Door het hoge percentage brandwonden, hadden de chirurgen alleen mijn kuiten om huid van af te schaven, om zo de derdegraads brandwonden te beleggen. Bepaalde lichaamsdelen moesten uiteraard sneller worden belegd, zoals het gezicht. Daarom kreeg ik op andere delen eerst donorhuid en telkens als de huid op mijn kuit na ongeveer een week weer was aangegroeid, konden ze daar weer nieuwe huid van gebruiken.'

'Naast de noodzakelijke ingrepen heb je de cosmetische operaties. Mijn haar is op natuurlijk wijze aangegroeid, maar veel haarzakjes zijn weggebrand. Om het aan te vullen, heb ik een haarstamceltransplantatie gedaan. Dan boren ze honderden gaatjes in je hoofd en halen stamcellen uit haarzakjes, om die vervolgens elders te transplanteren. Maar het had weinig effect op zo'n groot oppervlak. Dan zou je het nog een paar keer moeten doen en wordt het een '20 jaren-proces', daar had ik geen zin in. Ik heb zo'n soort operatie nog wel gedaan om weer wenkbrauwen te laten groeien en dat is gelukt, maar dat was toen nog zeer pijnlijk. De techniek is inmiddels verbeterd en de laatste keer dat ik het heb gedaan, had ik helemaal geen pijn. Tegenwoordig hebben ze steeds nieuwere technieken en zul je minder voelen. Daar zitten ook technieken bij dat je er tijdelijk niet uit ziet. Daar pas ik voor; ik heb al lang genoeg voor lul gelopen. Bij brandwondenpatiënten is een haartransplantatie doorgaans lastiger, omdat we een minder goede doorbloeding hebben. De haarzakjes kunnen niet zo dicht op elkaar worden geplaatst.'

Ook haar gezichtsveld is aangetast. 'Met mijn linkeroog zie ik minder goed. Die sluit niet goed en droogt uit. Daar heb ik een tijd mee rondgelopen. Je moet meer moeite te doen jezelf te concentreren, waardoor ik 's avonds doodmoe was en onder meer niet in een auto durfde te stappen als het donker was. Bij een opticien bleek dat een bril me uiteindelijk kon helpen, zodat ik in ieder geval weer met het linkeroog kan lezen. Terwijl ik voorheen op veertig procent zicht zat. Peter moest altijd rechts van me gaan zitten als we bij een gelegenheid waren.'

'Mijn handen vind ik veel erger. Erger dan mijn gezicht. M'n gezicht is voor mij niet zo belangrijk, da's misschien meer een beperking in de omgang met een ander, omdat diegene aanvankelijk niet weet hoe er mee om te gaan. Mijn gezicht, dat mis ik minder. Ik mis handigheid. M'n handen heb ik steeds nodig. Bij dagelijkse dingen. Maar ook bij dingen die me erg leuk lijken, zoals op een jetski, of een racefiets, of met een mountainbike naar beneden crossen. Dat gaat niet, omdat ik mezelf onvoldoende kan vasthouden. Terwijl ik supersportief ben. Volleybal, dat wat ik ooit op hoog niveau hoopte te gaan spelen, gaat ook niet meer op die manier. Lichamelijk ben ik sowieso minder flexibel. Ik doe alles met die ene hand. Die ook nog eens beperkt is. Een handje nootjes uit een schaaltje of zakje pakken, vergeet het maar.'

'Mensen willen je graag helpen. Een logische reactie misschien, maar soms irritant. Als ik in het ouderlijk huis ging koken, vroeg mijn moeder of ze moest helpen en zei ik direct 'nee'. Vervolgens word je geconfronteerd met wat je allemaal niet meer kan, maar toch, je wilt het altijd eerst zelf proberen.' Peter: 'Toen ons huis werd verbouwd, wilde Marga graag wat doen. Ik dacht aan zoiets als samen de wand schuren.' Marga: 'Ik probeerde het, maar het lukte niet. Ging Peter ondertussen delen van mijn muur doen. Werd ik boos.' Peter: 'Goed bedoeld.' Marga: 'Begreep ik ook wel, maar ik was zó teleurgesteld. Ieder mens kan schuren...' Peter: 'Tja, ik kan bijvoorbeeld mijn tenen niet aanraken als ik mijn benen strek...' Marga, eventjes cynisch: 'Ja, dat is heel essentieel in je leven...'

De meest basale zaken behoren voor Marga tot de essentie van het bestaan. 'Ik geloof. We zijn katholiek opgevoed. Maar ik geloof niet zozeer volgens de oude verhalen. De kerk staat voor samenzijn en dingen voor elkaar doen, het geloof is er op gericht samen een doel te bereiken. Dat is goed. Teveel mensen leven alleen voor zichzelf. Maar je moet leren iets te doen voor een ander, zonder iets terug te verwachten. Tegenwoordig zijn veel mensen echter materialistisch ingesteld.'

'Ik geloof ook dat er iets bestaat. Ben ook geïnteresseerd in tv-programma's zoals die met het medium Derek Ogilvie. Ik ga regelmatig naar de kerk. Dan bid ik. Sta ik stil bij de mensen die er niet meer zijn en doe ik een gebedje voor hen. Trouwmissen in de kerk vind ik mooi, die mogen ook best lang duren. In de kerk is het rustig, je bent even met jezelf. Na de Nieuwjaarsbrand zullen er mensen zijn geweest die gingen twijfelen aan het geloof. Leefde bij ons ook een beetje, omdat er veel slechte dingen op ons pad kwamen. Gaandeweg word je weer helder in je hoofd, kun je weer nadenken.'

'Ik ben zeer nuchter. Denk dat het geloof ook met normen en waarden te maken heeft, met een goede manier van leven. Eerlijk. Ik wil ook niet het slechte inzien van de mensen, geen vooroordelen hebben. Eerst zelf zien. Je moet niet sceptisch zijn tegenover iemand die je alleen maar van 'horen zeggen' kent.'

'Inmiddels zijn we zelf getrouwd. Op 18 september. Heel bijzonder, in de oude Vincentius-kerk in Volendam. De jurk die ik droeg, was anders dan ik vooraf had gedacht. Toen ik eerder bij trouwmissen aanwezig was, zag ik meiden met jurken met bijvoorbeeld een open rug. *'Die neem ik nooit'*, zei ik toen nog tegen mijn moeder. Mijn rug is megalelijk, die wilde ik niet laten zien. Uiteindelijk werd het toch zo'n jurk. Want ja, als ik alles had moeten bedekken, dan had ik ook een boerka moeten dragen.'

Dagen als die van de huwelijksvoltrekking hebben zonder twijfel extra lading door de voorgeschiedenis. 'Ik heb vooral genoten van de trouwdag. Dat kon, omdat ik helemaal niet zenuwachtig was.

Tranen waren er ook, zeker bij mijn ouders. Het is ook bijzonder. Vooraf zei ik wel eens geïnend tegen Peter: *'wie had dat ooit gedacht, dat wij zouden trouwen?'"*

Ze kreeg een stapel kaarten van mensen uit haar omgeving, zoals ze die bijna tien jaar eerder ook ontving. 'Ze zijn in die tijd voor me bewaard, net als krantenknipsels en het dagboek van mijn moeder. Als je dat leest, merk je weer wat er allemaal is gebeurd en wat je ook allemaal al bent vergeten. Ik was daar niet 'bij'. Stukjes uit het dagboek, dat ik heel hoge koorts had, een bacterie had opgelopen, dat m'n ouders waren gebeld dat het slecht ging. M'n moeder heeft korte verhaaltjes gemaakt, maar voor haar was het goed om van zich af te schrijven.'

Wie had toen gedacht dat Marga Smit ooit nog glunderend voor het altaar zou staan? Of dat ze in datzelfde jaar de top van de Kilimanjaro zou bedwingen? 'Het was bikkelen. Maar ik had me goed voorbereid. Die top. Daar ging het om. De uitdaging, je grenzen verkennen. Anders is het leven toch niks aan. Als ik niet verbrand zou zijn geweest, was ik fulltime-avonturier geworden. Had ik andere keuzes gemaakt dan ik de laatste jaren heb gedaan. Niet dat het leven niet leuk is, maar dan had ik vaker extreme dingen ondernomen. Was ik misschien niet gaan studeren. Ik heb namelijk een hekel aan leren in schoolvorm, maar ik doe het wel. Ik vermoed dat ik in het leger was gegaan, bij de landmacht. Ik hou van sport en heb discipline, dus...'

'Ik had er al op jonge leeftijd discussies over met mijn ouders, want vóór 'de brand' was het al iets wat ik graag wou. Na 'de brand' kon ik niet meer worden toegelaten, iets waar m'n ouders wel 'blij' om waren. Toen ben ik gaan studeren, op een gegeven moment twee universitaire studies tegelijk, economie en psychologie. De laatste heb ik naderhand laten vallen, de week werd te vol. Ik vind het leuk om kennis op te doen, maar verschrikkelijk om de boeken in te gaan om te leren. Maar zonder diploma kom je nergens in dit leven.'

ZEGENINGEN TELLEN

KEES KWAKMAN

De kleine ruimte die bar De Hemel bood, was overvol. Draaien of omkeren was nauwelijks mogelijk op het moment dat een nieuwe generatie net een nieuw jaar feestelijk had ingeluid. Kees Kwakman bezat al capaciteiten als overzicht en inzicht, maar zijn sportieve talent was nauwelijks ontloken. Gevoelsmatig had hij er ook niet behoren te zijn, op die oudejaarsavond van 2000. Het uitgaansleven en alcohol paste niet in zijn beeld van een profvoetballer. En dat was waar alles in het leven op geënt was van Kwakman. Die zich aan de massa wilde onttrekken, maar door een geblokkeerde uitgang terugkeerde naar zijn plek. Zijn aanwezigheid bij de ramp bleek onafwendbaar, maar de ontstane schade had wonder boven wonder geen onomkeerbare gevolgen. Enkele honderden meters verderop zou hij – als jongetje nog op de tribune als supporter – uitgroeien tot speler van FC Volendam. Later van RBC Roosendaal, eredivisionist NAC Breda en tegenwoordig van FC Augsburg in de Duitse Tweede Bundesliga. Zoals hij als pupil en junior zelf alles spaarde van voetbalhelden, zo vult inmiddels zijn eigen jongensboek zich gestaag. Documenten binnen handbereik, daar waar de paperassen die eveneens zijn jeugd markeren, bewaard zijn gebleven in een donkere kamer van het geheugen.

Voetbal- en sportweetjes, tv-typetjes neerzetten, daarin schuilt de veelzijdigheid van de Volendammer. Niet dat eentonigheid zijn jonge jaren kenschetste, maar Kwakman (bijgenaamd Ballap) had vooral oog voor één object: de bal. Vader Wim speelde seizoenen achtereen in het eerste van de plaatselijke FC. Zoon Kees ademde en praatte voetbal, van kleins af aan. Met de geboorte van de relatie met plaatsgenote Kelly Runderkamp en de geboorte van hun zoon Tibbe, twee jaar geleden, werd het speelveld wat groter, hoewel die inmiddels ook wordt opgevoed met een bal aan de voet en wedstrijden op tv. 'Het was vooral voetbal voor mij, maar ik volgde héél veel sport. Hing de muren van mijn kamer vol met posters en krantenberichten. Als de Fransman Richard Virenque in de Tour de France op de Alpe d'Huez won, dan hing dat stuk uit de krant een dag later op de wand.'

Op school (HAVO) dacht hij zich er te gemakkelijk van af te kunnen maken. 'Ik spijbelde bijvoorbeeld regelmatig om zo'n drie keer per week de training van FC Volendam te kunnen bekijken en daarnaast wilde ik zelf drie keer per dag voetballen. Uiteindelijk ben ik op een ROC-opleiding beland, om voor sportbegeleider te leren, een voorloper van het CIOS.'

Daar waar tal van dorpsgenoten al op jonge leeftijd de weg naar de plaatselijke kroegen vonden, liet Kwakman de dijk links liggen. 'Ik had er geen behoefte aan, was me er ook op veertienjarige leeftijd al bewust van dat het er niet of zo weinig mogelijk bij hoort als je profvoetballer wilt worden. En dat was mijn doel, in het eerste van FC Volendam terechtkomen. Daar had ik alles voor over. Die dijk hoeft je niet te belemmeren, maar het is net hoe je met het jong uitgaan omgaat. Ik ken een hoop jongens die mede daardoor niet zijn doorgebroken, terwijl het goede talenten waren.'

Leeftijdsgenoten gaven zich op dertien- of veertienjarige leeftijd reeds over aan de aantrekkingskracht van de dijk. 'Nee, ik werd er niet echt op aangekeken dat ik zo serieus leefde. Komt ook omdat ik me meestal omringde met jongens die voetbalgek waren, waaronder Jack Tuyp, de spits van FC Volendam. Een echte vriendenploeg had ik niet, ik trok meestal op met de jongens bij wie ik dat jaar in de selectie zat en jongens die ook voor of na de training en in het weekeinde nog een partijtje voetbal wilden doen. Maar op zaterdagavond zat ik wekelijks keurig thuis bij mijn ouders op de bank, Studio Sport en andere voetbalwedstrijden te kijken.' Een half jaar vóór de Nieuwjaarsbrand zag hij, zeventien jaar oud, pas voor het eerst een bar van binnen. 'Tijdens het EK in eigen land. Droeg ik tijdens Nederland-Tsjechië het shirt van Frank de Boer, met wie onze familie goed bevriend is. Oranje won met 1-0 en De Boer scoorde, waardoor ik met het shirt achterstevoren liep en de rest van de avond niet meer kapot kon. Later tijdens dat EK miste hij twee strafschoppen tegen Italië en droop ik na afloop van die wedstrijd af richting huis met het shirt binnenstebuiten...' Een maand later begon de supporter van de hoofdmacht ('Ik maakte zelfs spandoeken') aan zijn eerste seizoen in de A1 van FC Volendam. 'Er gebeurde van alles dat seizoen. Er werd door spelers gestolen uit de kleedkamer, er volgde een stemming waar zelfs de voorzitter bij was, we hebben wel zeven aanvoerders gehad en stonden onderaan toen de jaarwisseling aanbrak.' Op die oudejaarsavond begaf hij zich richting De Hemel. 'Ik was er pas laat op de avond alleen heen gegaan. Dronk sowieso nooit een druppel alcohol en de maanden daarvoor, als ik wel eens uitging, voelde ik soms dat ik met mijn ziel onder mijn arm liep. Wat zocht ik er precies? Maar ja, je moest toch ook een beetje sociaal leven opbouwen en dan hoort de bar erbij in Volendam. Het werd de eerste keer dat ik oudejaarsavond ergens anders vierde dan in het ouderlijk huis.'

En die keer werd memorabel. 'Ik was wat gaan eten in een restaurantje met een paar jongens en kwam rond half twaalf weer binnen. Toen de jaarwisseling geweest was, had ik het twintig minuten later wel bekeken. Het werd zo ontzettend druk, ik vond het niet leuk meer. Maar toen ik probeerde richting de uitgang te komen, zag ik dat het daar vol stond, dus ik draaide me om naar mijn plekje en wilde wachten tot die menigte binnen zou zijn en dan zou ik er alsnog uit gaan. Plotseling zag ik dat er achterin de bar vuur ontstond. *'Dit gaat niet goed'*, zei ik tegen dorpsgenoot Peter Tol. Ik zag het gebeuren. Ineens kwam die steekvlam.'

'Het vuur duurde niet zo lang en bereikte niet het deel van het plafond van waar ik stond, hoewel er wel kerstversiering op me viel. De hitte en de rook, dat was enorm. Het werd zo warm, dat ik de huid van mijn vingers voelde afschroeien. Het werd pikdonker, de muziek was uitgevallen en ik hoorde sommigen roepen *'geen paniek, geen paniek'*.'

'Wat me altijd bij is gebleven, was dat ik in die korte tijd allerlei dingen voorbij zag flitsen, maar het meest opvallende was dat Misha Salden, op dat moment basisspeler op het middenveld van FC Volendam, ook nadrukkelijk voorbijkwam. Heel raar en ik weet ook niet waarom. Of dat nou de verpersoonlijking was van mijn gevoel dat mijn eventuele voetbalcarrière gevaar liep?'

Hij baande zich een weg naar de uitgang. 'Er kwam een oerkracht vrij. Klimmend en klauterend over anderen heen ging ik richting de klapdeurtjes van de in- en uitgang, waar allemaal mensen lagen. Aan het licht van de sigarettenautomaat kon ik zien dat ik daar heen moest, die zat bij de uitgang. Toen ik daar was heb ik me van de trap af laten vallen, over de mensen heen, waardoor ik mezelf blesseerde.'

Bedwelmd door de schrik toog hij ook in de Wir War Bar meteen richting uitgang. 'Daar gooiden jongeren een raam in en bij het verlaten van het pand raakte ik een schoen kwijt. Ik liep meteen de dijk af, om richting het water te gaan, dat bedekt was door ijs. Eigenlijk niet goed om zo te gaan koelen, maar wist ik veel... Ik draaide me om, keek naar boven en zag dorpsgenoot John Tuyp uit het raam van De Hemel komen, zwartgeblakerd en verdwaasd. *'Dit wil ik niet zien'*, dacht ik en ik liep weg, naar naastgelegen huizen. Daar belandde ik bij bewoners onder de douche, samen met andere slachtoffers. Boven en beneden waren getroffenen aan het douchen, dus de kraan ging van koud naar warm water en andersom.'

Inmiddels arriveerden zijn vader en ome Kees. 'Diens zoon was barkeeper die avond. Ze bleven mij koelen met een natte handdoek in mijn nek en dat voelde heel goed. Daar zaten wat derdegraads brandwonden, terwijl handen en oren tweedegraads verbrand waren. Pas tegen vijf uur werd ik per ambulance naar De Heel vervoerd. Buiten zag ik een bordje van *'min zoveel graden'*. Van dat moment zijn tv-beelden gemaakt, zo zagen we later. Loop ik met mijn vader, verwikkeld in folie, richting de ambulance, dat was de leader van de SBS-uitzending die voortdurend voorbijkwam in de periode daarna.'

Pas later kwam hij dat te zien. 'Ik heb negen dagen in De Heel in Zaandam gelegen. Daar moesten de kersttakjes en lampjes nog uit m'n haar worden verwijderd. Eigenlijk had ik daar geen benul van wat er op het dorp gaande was. Ik wist alleen hoe bepaalde jongens eraan toe waren waarmee ik voetbalde en omging. Verder werden er geen kranten gebracht en keken we geen tv in het ziekenhuis. De 'dode-stemming', die toen in Volendam heerste, heb ik niet meegekregen.'

'Van de jongeren die overleden waren, kende ik bijna niemand, behalve Yvonne Veerman, die één jaar mijn klasgenoot was geweest. Er lagen wel voetbalkameraden verspreid over diverse ziekenhuizen. Ik richtte me – eenmaal thuis – weer zo snel mogelijk op het voetbal. Ging er misschien – omdat ik zo weinig slachtoffers kende – gemakkelijker mee om. Na een paar dagen was ik weer op het trainingsveld te vinden. Met verband om m'n handen maakte ik mijn eerste rondje. Was ik helemaal kapot.'

Zijn mentale afweersysteem vertelde hem zijn weg te vervolgen, zonder overbodig om te kijken. 'In het begin had ik nog last van nachtmerries, was ik aan het schreeuwen in m'n slaap. Ik denk dat ik het verder goed heb weggeduwd. Ik heb weinig gezien, dat is daarbij m'n geluk geweest. Het heeft een enorme impact gehad, maar ik had er geen last van. Hoe gek het ook klinkt, voor mijn gevoel draag ik het niet mee als een trauma. Hoewel ik niet weet of er onderhuids nog iets zit. Maar ik denk dat vooral meetelt, het feit dat ik zoveel mazzel heb gehad. Ik besef het, het is geen alledaags verhaal. Als ik het daarna tegen mensen vertelde bij mijn clubs RBC Roosendaal en NAC Breda, dan zag je de mensen aandachtig luisteren. Iedereen herinnert zich nog wel beelden van toen.'

'Niet lang na de Nieuwjaarsbrand heb ik een tijdje bij de plaatselijke kabelkrant gewerkt, samen met een jongen die enorm verbrand was geraakt, René Tol. Onder meer zijn vingers zijn ernstig aangetast en als ik dan naast hem zat, keek ik af en toe opzij, als hij bezig was met een envelop te openen of het typen. Dan dacht ik: wat heb ik een geluk gehad. Dan moest hij weer een operatie ondergaan en liet-ie vervolgens blij zien dat het mooier en beter was geworden. Dan kwam de confrontatie met de Nieuwjaarsbrand telkens dichtbij. Maar als er ééntje positief is... René bleef humoristisch en straalt positiviteit uit.'

'Ik heb regelmatig gedacht: volgens mij moet een verbrand iemand als hij bijna elke ochtend bij het wakker worden denken dat die hele Nieuwjaarsbrand een nachtmerrie of droom is geweest. Misschien is dat wel omdat ik dat zo zou voelen, als ik zo verbrand was. Tuurlijk zullen zij die verbrand en toch positief zijn, ook hun zwakke momenten hebben. Die hebben we allemaal wel eens. Ik heb respect voor hen. Iedereen zal in eerste instantie zeggen dat hij of zij dat niet op zou kunnen brengen, zo verbrand zijn en dan positief in het leven staan. Dat denk ik ook. Maar je kunt het wel. Je moet. Zij doen het.'

Kwakman ervaart weinig knelpunten meer. 'Er zijn best af en toe momenten dat ik denk: dat had mij ook kunnen overkomen. Uiteindelijk ga je weer verder tot de orde van de dag, naar de waan van de dag, want daar zitten we in.' Daarin botsen het zelfbewustzijn van en de denker in de Volendammer wel eens met onder meer de wetten van een slangenkuil, zoals de (voetbal)wereld kan aanvoelen. Onrechtvaardig, ongenuanceerd. 'Daar kan ik vaak mee aan de slag gaan. Ik leer veel van het lichaam. Weet dat zaken die je meemaakt in het leven, op dat lichaam kunnen gaan zitten en iets kunnen veroorzaken. Vaak speelt het onbewust een rol. Ik leer om met vervelende situaties om te gaan en het los te laten. Of erop in te spelen als je wel iets lichamelijks voelt. Ik heb moeite met onrechtvaardigheid, houd van eerlijkheid.'

'Ik ga bewust met mijn lichaam om. Moet ook als topsporter. Bezoek sinds enkele jaren in mijn geboortedorp regelmatig drs. Joop Tol, een kinesioloog die ook van acupunctuur gebruik maakt en apparatuur heeft vervaardigd die je fit houdt en maakt. Hij neemt de oorzaken van blessures en lichamelijke ongemakken weg en ik herstel veel sneller. Bij een hamstringblessure, waarvoor vier tot zes weken staat, stond ik dezelfde week weer op het veld en zo zijn er meer voorbeelden, waarvan ook de medici bij de clubs verbaasd door waren. De cijfers zijn het bewijs. Ik heb nauwelijks wedstrijden gemist de laatste seizoenen.'

'Het levert wel discussies op. Mensen vragen hoe zoiets precies werkt en er wordt denigrerend over gedaan. Ach, je moet het zelf ervaren en erin geloven. In het voetbal sta je wat zoiets betreft bijna alleen en dat zie ik als een tekortkoming van de voetballerij. Tegenwoordig wordt er af en toe iets in beweging gebracht. Zoals tijdens het WK, toen spelers de bandjes droegen die voor balans in het lichaam zorgden. Dat kwam bij Dirk Kuyt vandaan, die gebruik maakt van paragnost Henk de Gier en zo'n zestig wedstrijden per jaar speelt. Da's echt niet alleen op een bruin broodje, hoor. Dat lukt door extra dingen te doen. Wesley Sneijder zei iets over die bandjes en dan maakt dat indruk. Meer als dan wanneer Kees Kwakman daar iets over zegt. Maar ik vind het jammer dat de voetbalclubs niet willen samenwerken met mensen als De Gier en Tol. Selecties zouden fitter zijn en blijven en dat komt de clubs ten goede.'

Kwakman kwam via RBC Roosendaal bij NAC Breda, nadat hij op zijn 21e debuteerde voor FC Volendam. Terwijl zijn voetbaltoekomst na de Nieuwjaarsbrand aan een zijden draadje hing. 'Door die val van de trap in De Hemel heb ik maandenlang last gehouden van mijn hiel. We degradeerden aan het eind van dat seizoen met de A1. Eén van de jongens waar ik regelmatig mee optrok, Tom Koning, heeft geen wedstrijd meer gespeeld, omdat hij na de Nieuwjaarsbrand maandenlang in het ziekenhuis lag. Het was onzeker of ik wel bij de FC mocht blijven. Uiteindelijk mocht dat en het tweede jaar in de A1 was een goed seizoen, waarin we de beker wonnen.'

Na de beloften werd hij overgeheveld naar de A-selectie. 'M'n debuut kwam redelijk laat. Daarvóór zat ik wel bij de selectie, maar toen speelde FC Volendam in de eredivisie en werd er nauwelijks naar me omgekeken. Na mijn debuut heb ik niet alleen als linkermiddenvelder en achter de spitsen gespeeld, maar ook als linksbuiten. Uiteindelijk heeft trainer Ernie Brandts me bij Volendam achterin neergezet, als centrale verdediger.' In die positie (en ook die van linkshalf) speelt hij bij NAC Breda. Afgelopen zomer probeerde de Duitse Tweede Bundesligaclub FC Augsburg hem al over te nemen, maar toen ketste een overgang nog af. Eind augustus kwamen de clubs alsnog tot een akkoord. 'Een mooie uitdaging. En ik had het er meteen naar mijn zin. Het betekende alleen dat alles opeens verhuisd moest worden en ik mijn vriendin en zoon enkele weken niet zag. En je bent nog verder af van de beide families. Maar ik zie het als een verbetering en wilde gewoon weten hoe het is.'

Of hij daar ook verblijft als het exact een decennium geleden is dat zijn toekomst en die van honderden anderen op de tocht kwam te staan, weet hij nog niet. 'Voor mijn vrouw Kelly zal het straks weer moeilijk worden, als het precies tien jaar geleden is. Ze heeft die nacht heel veel gezien en mensen geholpen. Heeft vaak zitten huilen tijdens jaarwisselingen, wilde dan niets doen en zat op de bank. Ze kende de overleden Nico Kwakman, die bij ons in de straat woonde, heel goed. Zijn foto hangt in onze woning boven de deur.'

'Het zal straks allemaal weer ter sprake komen. Bij ons thuis gebeurde dat in de eerste jaren nauwelijks. Komt misschien omdat ik in die beginperiode iets uitstraalde naar mijn ouders en zussen van *'Kees praat er liever niet over'*. Gaf ik korte antwoordjes. Het was mijn manier om het te verwerken.'

'Laatst waren Kelly en ik even in Volendam en kwamen we René Tol tegen. Toen hij voorbij was gefietst en we in de auto stapten, dachten we allebei hetzelfde, maar zeiden even niets tegen elkaar. Je staat er weer even bij stil. Mocht je je een uurtje eerder hebben druk gemaakt over niks, dan relativeert zo'n moment.'

'Ik wil zeker verder in de voetballerij. Wellicht later als trainer. Ik neem veel in me op en leer als mens hoe dingen niet moeten en dat geldt ook voor in de voetballerij. Als trainer lijkt het me niet gemakkelijk om het goed te doen. Je hebt met zoveel persoonlijkheden te maken, naast je, boven je, in de selectie zitten 25 verschillende ego's. Daarnaast heb je de invloeden en stromingen van boven en van buiten. Er spelen zoveel factoren mee. Het is een aparte wereld. Als je je dan langer verdiept in wat er toen gebeurd is, dan zie je ook de betrekkelijkheid in van het voetbal.'

NUCHTERHEID ALS OVERLEVINGSMECHANISME

FAMILIE LEEFLANG

Er waren diverse Volendamse gezinnen die, toen bar De Hemel tot hel verwerd, ter plaatse door meerdere kinderen waren vertegenwoordigd. Zoals Klaas en Griet Leeflang. Hun zoons Neal (29) en Frank (25) klopten beiden aan, bij de poorten van de hemel, maar werden niet binnengelaten. 'God had je nog niet nodig', schrijft moeder Griet bijvoorbeeld in haar dagboek, dat ze bijhield in de maanden na de Nieuwjaarsbrand, toen haar zoon Neal zojuist vanuit de (klinische) dood was herrezen. Toen ontsprong Neal de dans, hoewel de timmerman van beroep zijn echte gereedschap, zijn tien vingers, verloor. Later zou het noodlot broer Frank nog eens tarten. In de zomer van 2009. Weer was er vuurwerk in de buurt. In Thailand ging het weer mis en moest opnieuw hemel en aarde worden bewogen om hem in het land der levenden te houden. En samen symbool te staan voor de achternaam die ze bij hun geboorte meekregen. Behalve een bloedband hebben ze nog meer gemeen. Nuchter zijn ze. En ze houden zich groot. Mannelijk. Maar jezelf kwetsbaar opstellen is menselijk. Ook dat doen ze, spontaan. Een verhaal over God, een open aura, een nooit geregistreerd Nieuwjaarsbrand-slachtoffer van islamitische afkomst, tranen bij het Wilhelmus, een VIP en een op komst zijnde tweeling.

Aan de wand hangt een foto van de twee broers. Van Sinterklaas 2000. Gedateerd. Neal is er nog gezegend met vingers. Bovendien is de huid van de tieners op dat moment nog gaaf; geen schrammetjes, schaafplekken, brandwonden. Onbekommerd kijken ze de huiskamer in. Ingelijst, als presentje van de Goed Heiligman, voor hun ouders. Die dan ook nog niet weten welk drama hen te wachten staat. In diezelfde decembermaand, aan het eind van het millenniumjaar, vertoeven hun zoons in hetzelfde café op het moment dat de Nieuwjaarsbrand uitbreekt en uiteindelijk komen ze bij elkaar in het ziekenhuis van het Belgische Luik te liggen.

Neal wordt pas later die nacht getraceerd door zijn ouders. Vader Klaas rijdt in eerste instantie per ambulance met Frank, hun dorpsgenoot Arthur Eeckhout en diens moeder naar het AMC. 'Toen ik met Frank aankwam, was hij de tweede Volendammer die in het AMC werd binnengebracht. Werd er een zaaltje ingericht voor de Volendamse gezinnen. Dat stroomde langzaam voller.' In diezelfde ruimte nemen ook familieleden van een slachtoffer van islamitische afkomst plaats. In Volendam ging al snel het gerucht dat er een islamitisch slachtoffer onder de overleden jongeren was. Vanwege zijn of haar komaf in combinatie met de volgens de religie niet geoorloofde leeftijd om uit te gaan, zou alles zijn verzwegen, zo werd gesteld. Officiële instanties wilden het daarom nooit bevestigen en het slachtoffer is nooit geregistreerd.'

Een paar dagen na de ramp ontstond ook nog een miscommunicatie tussen de toenmalige burgemeester en de woordvoerder van de ziekenhuizen over het aantal overleden slachtoffers. Dit voedde uiteraard de geruchten nadien. Klaas: 'Wij hebben diezelfde familieleden maanden later tijdens de presentatie van de rapporten van de commissie-Alders ook in de banken zien zitten.' Griet: 'Nu, tien jaar later, vraag ik me nog steeds af hoe dat allemaal gegaan is. Voor die mensen ook verschrikkelijk.'

'Ik weet nog dat er op een gegeven moment een arts dat zaaltje binnenkwam en alle namen noemde', gaat Klaas terug naar die nacht. 'Ik miste die van Frank. Dat kon twee dingen betekenen: of hij was overleden óf al vervoerd. Ik stond op, zei dat ik mijn zoon persoonlijk daar had gebracht en vroeg waar hij was. Bleek dat ze 'm niet konden identificeren. Moesten we mee naar binnen. Pas toen zijn kettinkjes en kruisje uit de lade kwamen, wisten we het zeker. Bovendien was hij een week eerder op zijn mond gevallen en een plekje op een tand maakte hem herkenbaar.'

'Die sfeer in die auto op weg naar het AMC toe, die vergeet ik nooit meer', zegt Klaas, die ondertussen het bericht kreeg dat Nico Kwakman (bijgenaamd Ballap), vriend van zijn oudste zoon Neal, was overleden. 'Op dat moment wisten we nog niet waar Neal was.' Om vier uur 's nachts kregen de ouders te horen dat hun oudste telg naar het Slotervaartziekenhuis in Amsterdam was vervoerd en daar werd geopereerd. Op 2 januari werd hij overgebracht naar het Belgische Luik, zoals Frank diezelfde weg twee weken later zou afleggen.

Van moeder Griet staat de derde dag van januari 2001 nog in het geheugen gegrift alsof het gister was. En het moment dat haar oudste zoon haar leek te ontglippen, terwijl Klaas in Amsterdam bij Frank was. Griet: 'Ik stond achter het raam van Neal's kamer en zag paniek bij de artsen. Hij bleek getroffen door een hartstilstand. Eén van die medici sloeg steeds op de apparatuur. Die sprong van 0 naar 36, naar 0 en weer naar 42. Op een gegeven moment draaide één van die artsen om. Stak ik vragend mijn duim eerst omhoog en daarna naar beneden. Deed hij beide duimen naar beneden... Stond er vervolgens een arts naast me en die maakte met zijn armen een beweging van *'het is over'*. Begon ik te schoppen tegen de deur en te slaan op het raam. *'Vechten, Neal, vechten'*, schreeuwde ik. Hij kon het niet horen, maar toch...'

Toen de functie van zijn longen ook wegviel, leken de doktoren radeloos. Eén van de andere Volendamse ouders, Evert Kok, vroeg of het niet beter was eerst vader Klaas in te lichten, voordat men de beademingsapparatuur stop zou zetten. Klaas: 'Heb ik meteen contact gezocht met dokter Bouman, longspecialist van het AMC, of zij misschien raad wist met de situatie. Zij sprak de Franse taal en had al eerder contact gehad met 'Luik'. Zij adviseerde Neal op z'n buik te leggen en stikstof toe te dienen. En dat hielp...'

'Op die manier heeft het AMC meerdere slachtoffers in België gered. Ik heb het mensen vaker horen zeggen', vervolgt Klaas, als de vader van één van de vele Volendamse medische wonderen: 'het AMC is *de long* van Europa.' Terwijl Neal – onder zeil gehouden – op krachten moest komen, vreesde zijn moeder voor wat komen ging. Klaas: 'Griet was destijds negatief over de toekomst; ik wist dat het goed zou komen.' Griet knikt instemmend: 'Neal had geen vingers meer en was behoorlijk verbrand geraakt. Ik dacht dat-ie geen verkering meer kon krijgen en hoe moest dat als-ie uit huis zou gaan? Ik kon hem tenslotte niet z'n leven lang verzorgen.'

'Ik dacht inderdaad dat het nooit meer wat zou worden. Dat-ie in onze cultuur niet zou kunnen functioneren. Volendammers kunnen op momenten hard zijn, dat heb ik zelf op jeugdige leeftijd ondervonden. Ik heb enkele operaties aan m'n oren gehad, waarbij het één keer mis ging en daar heb ik een scheve mond aan over gehouden. Eigenlijk had ik een gehoorapparaatje nodig, maar ik wilde er niet aan, was bang dat ze me alleen maar meer zouden uitlachen op het schoolplein. Het was misschien ook mijn stomme trots, maar ja, ik was jong. Daarom had ik die angst toen ik Neal daar zo zag liggen. Klaas bleef volhouden dat het goed zou komen.'

Ze had in die tijd een nog grotere hang naar het geloof. Griet: 'Frank werd half februari uit Luik ontslagen. Ik weet nog dat hij bij terugkomst *die* foto van de wand wilde halen. Alle foto's van het verleden, van Neal mét vingers, moesten weg. Daar had-ie het zelf moeilijk mee en misschien dacht hij dat Neal dat later ook liever niet zou zien. Frank kwam zelfs met het idee of we konden onderzoeken dat wij stukjes vingers konden afstaan, zodat Neal weer iets van vingers kreeg. Maar dat was niet te doen. Bovendien legde hij het kruisje dat aan zijn ketting hing weg. Ik vroeg hem waarom. *'Geloof jij dan nog?'*, vroeg hij, na alles wat er gebeurd was. Zei ik: *Onze Lieve Heer heeft dit niet gedaan. Als-ie zich daar allemaal mee zou bemoeien, heeft-ie een dagtaak aan.* Ging Frank toch nadenken en langzaam weer geloven.'

Klaas: 'Dat er een God is, staat vast. Die heeft ons kracht gegeven, anders waren we in België met twee zoons in een ziekenhuis al wel voorover gevallen. Maar wat vroeger gebeurd is op het seminarie van de rooms katholieke kerken, dat heeft wel voor een deuk in ons geloof gezorgd. Een bekende van ons had al eerder verhalen verteld over het misbruik door priesters van jonge kinderen die op het seminarie zaten. Dat is vorig jaar allemaal uitgekomen.'

Griet wendde zich in haar dagboek ook regelmatig tot God. Op 14 juni 2001 schreef ze: *'Veel tranen en verdriet. Je gelooft het toch nog steeds niet. Ik kreeg twee mooie zoons, mag gerust zeggen filmsterren. En dan gebeurt er dit. God, waarom, waarom toch doe je ons zoveel verdriet?*

Als ik aan deze dertien doden denk, lopen de tranen over mijn gezicht...
Morgen komt mijn oudste zoon weer thuis, vanuit Heliomare. Toen hij
terugkwam uit Luik en even naar huis mocht, zat hij op zijn bed en keek
mij aan met van die verdrietige ogen. Ik zei tegen hem: zeg het maar, je
mag het gerust zeggen: het is klote. Want het is zo. We kunnen het niet
terugdraaien, het is gebeurd. Maar God zal ons helpen, ons hele gezin.
Maar ik vraag toch aan God: waarom, waarom, waarom toch? Waarom?'

Haar zoon Neal moest na zijn opname in Luik voor verdere revali-
datie naar Heliomare in Wijk aan Zee. Helemaal soepel verliep die
procedure niet. De Nederlandse hospitalen vreesden immers de
MRSA-bacterie en daarom werd voor Volendamse brandwondenpatiënten die uit België of Duitsland kwamen, speciale ruimten
gecreëerd. 'Soms werden we behandeld als een beest, werden we
aangekeken van *'daar heb je die van die bacterie'.* Er werd heel moeilijk gedaan', weet Klaas nog. Het mondde zelfs uit in het overlijden
van Anja Kok, het slachtoffer van de Nieuwjaarsbrand. Dat ging
de familie Leeflang aan het hart, want Anja lag samen met Neal
zowel in Luik als in Heliomare. Klaas: 'Anja overleed omdat zij niet
in een ander ziekenhuis werd opgenomen vanwege de panische
angst voor die mrsa. Zo werd er door artsen te laat geanticipeerd
op een bacterie op haar hartklep.'
Neal bezocht deze begrafenis wel, maar hij nooit afscheid heeft
kunnen nemen van één van zijn beste maatjes, Nico Kwakman.
De laatste levendige herinnering aan hem dateert van vlak na het
vuur. Neal hoorde zijn stem toen hij bijkwam. *'Ze moeten eruit'.*
Kwakman tilde gewonden naar buiten, tot hij zelf niet meer kon.
En uiteindelijk stierf hij in De Hemel, met de dan ook al overleden Edward Jonk in zijn armen. Neal had op weg naar de uitgang

wat veters losgetrokken van jongeren wier schoenen aan de vloer gekleefd zaten en zou vlak voor de uitgang tegen de vlakte gaan.' Toen hij geruime tijd later bij werd gebracht in Luik en hoorde van de dood van zijn vriend, hoefde het van hem ook niet meer. 'Want *hij* was er toch niet meer...' De kracht en de wil om zonder zijn vriend verder te leven kwamen met de dag. Binnen het half jaar trapte hij weer tegen een bal. Maar bijna niets ging zonder de medewerking van anderen. 'In het begin kon ik helemaal niets, zonder vingers. Bij alles wat ik deed en waar ik heenging, had ik iemand nodig. De chirurgen hadden wat sneetjes in m'n hand gegeven, waardoor ik een beetje grip kreeg. Ik heb het nog anderhalf jaar geprobeerd in de bouw. Deed zelfs een poging als timmerman, mijn vak van vóór de brand, maar dat ging niet. Hebben ze me uitvoerder gemaakt, maar dat voelde niet goed. Tenslotte heb ik een tijdje als machinist op een blokkenkraantje gewerkt. Maar als de weersinvloeden extreem waren, heftige warmte en pittige kou, dan kreeg ik veel pijn aan m'n handen, daar kon mijn lichaam schijnbaar niet tegen. Zonde, want ik vond het een leuk klusje.'

De WAO dreigde, maar door tussenkomst van de toenmalige burgemeester van Edam-Volendam, Hans Bulte, kon hij een baantje krijgen op het gemeentekantoor, als bode. 'Gaandeweg leerde ik te rijden in een aangepaste auto en na enkele jaren lukte het bijvoorbeeld ook om mijn eigen veters te strikken en knoopjes los en vast te maken. Soms moet je een andere oplossing zoeken. Ik kan toch niet elke morgen aan mijn vriendin Lysann – die ik drie jaar na 'de brand' heb ontmoet – vragen of ze mijn strakke sokken wil aantrekken; dan maar wat wijdere sokken die ik zelf aan kan doen.'

'Tuurlijk zijn er dingen die ik nog steeds niet zelf kan. Zoveel. Als ik de Tour de France zit te kijken, denk ik aan een racefiets, maar dat gaat niet. Net zoals ik bijvoorbeeld tijdens 'vrijgezellendagen' met vrienden niet kan karten, kanoën of hockeyen. Dan kan ik niet meedoen. Ze kunnen met operaties nog iets proberen met mijn handen, maar die ingrepen zijn zo ontzettend pijnlijk, dat hoeft voor mij niet meer. Ik red me wel. Ik kan de basisdingen, zoals mijn eigen kont afvegen, gewoon doen.'

De gedreven sporter in hem moest veel verlies verteren. 'Maar de Nieuwjaarsbrand heb ik eigenlijk ergens 'neergezet'. Ik praat er nog zelden over. Twee jaar geleden kwam het dagboek ter sprake, dat mijn moeder destijds bijhield. Hebben m'n vriendin en ik dat doorgelezen, dat was wel moeilijk. Maar het slijt. Het leven gaat door. Als het straks oudejaarsavond is, neem ik gewoon een biertje en zal ik vuurwerk afsteken. In een hoekje gaan zitten pie-keren, dat doen we niet. Dan zou ik het ook te horen krijgen van mijn vrienden. Dát is geweest en nu leven we verder. Ik ben niet zo'n 'pieper'.'

'Kan ook wel eens verkeerd zijn. Een tijdje geleden wilde ik met voetballen een draai maken, maar mijn knieën bleven als het ware staan. Ik voelde pijn, maar voetbalde door en dacht dat dit ook wel zou slijten. Na drie dagen ging ik toch maar eens naar de dokter. Bleken de kruisbanden gescheurd en had ik een meniscus. Kon ik onder het mes. Eigenlijk is het enkele dagen geleden weer mis gegaan. Mijn vriendin Lysann blijft het steeds zeggen: *'ga nou naar de dokter'*. Ik hoop steeds dat het vanzelf slijt. Maar ik denk dat het toch weer een doktersbezoekje wordt... Maar verders, tja, wat ik eigenlijk destijds al snel na 'de brand' zei: *the show must go on...*'

Voor de ouders hielden de zorgen om hun zoons aanvankelijk lang aan. Neal die zijn plaats in de maatschappij weer moest zien te vinden en bij Frank doemden andersoortige heuvels aan de horizon op. Tijdens de uitgaansavonden gebruikte hij drugs. Toen zijn ouders daarmee werden geconfronteerd en op hun beurt de confrontatie met hun zoon zochten, werd duidelijk wat er onderhuids speelde. Klaas: 'Zijn verklaring was dat alles steeds om Neal gedraaid had.' Frank: 'Toen Neal thuiskwam uit het ziekenhuis, hingen er slingers. Bij mijn terugkomst niet. Als ik over het dorp liep, vroegen ze altijd hoe het met Neal ging. Hij kreeg van alles, cadeaus, mocht overal mee naar toe met allerlei mensen.' Hij is dol op zijn broer, maar miste de erkenning voor wat hij zelf had meegemaakt. 'Dan ben je jong, probeert wat uit met vrienden en dan ga je wekelijks met de flow van de avond mee. De dingetjes hadden zich zo opgestapeld, ik gaf er even niet meer om.'

Nadien bleef hij van de troep af. 'Weet je, toen ik vorig jaar in Thailand na een maand uit het ziekenhuis ontslagen werd en terugkwam, was er hier wel een warm ontvangst. Dat doet een hoop met je. Toen merkte ik hoeveel mensen er om je kunnen geven en aan je denken. Destijds was ik pas zestien. Nu ouder en veranderd. Als er nu iemand uit mijn omgeving in het ziekenhuis ligt of iets heeft meegemaakt, ben ik ook attenter en geef 'n belletje.'

Thailand, Koh Samui, zomer van 2009. Wat voor Frank en zijn vriendin Lindsey hun eerste gezamenlijke en onvergetelijke vakantie moest worden, werd er een trip vol herinneringen met een onaangenaam randje. En een déjà vu voor de ouders. Neal: 'We zaten bij ons thuis, toen we ineens een belletje kregen vanuit Thailand. Het bijzondere was dat Frank zelf niet aan de telefoon kwam, maar zijn vriendin Lindsey. Daarom had Lysann in de gaten dat het niet goed was. Bij mij drong het nog niet eens door. Frank had een ongeluk gehad met vuurwerk en tweedegraads brandwonden opgelopen, waardoor hij naar het ziekenhuis moest. De volgende morgen werd ik wakker en gingen er drie telefoons af in ons huis. Dan weet je dat het ernst is. Dat was het ook. We moesten erheen, naar Thailand, zo snel als mogelijk...'

Frank: 'Het vuurwerk afsteken na het avondeten is iets naar de gewoonte in Thailand, op het strand.' Een deel van het vuurwerk bleek echter niet te deugen. 'Ik stond er vlakbij en kreeg zo'n pot vol tegen m'n borstkas. Stond ik in de hens. Het siervuurwerk wat in de lucht pas moest knallen, had ik op mijn lichaam. Ben ik een paar meters verderop de nabije zee in gelopen. Toen werd ik onwel. De vader van het Volendamse gezin waarmee we hadden gegeten, Jack Kwakman (bijgenaamd Kwabo), greep in en haalde me uit het water. En paste mond-op-mond-beademing toe. Ik kreeg geen lucht. Achteraf bleek dat een gedeelte van het borstbeen verticaal doormidden was geslagen en dat drukte tegen m'n hart. Er zaten scheurtjes in zes ruggenwervels, een scheur in mijn lever en er liep bloed en vocht in m'n longen. Zat ik daar op het strand, kwamen er steeds meer mensen om ons heen. Dacht ik: *Waarom ik nou weer? Waarom begint alles nou weer opnieuw?*'

Op primitieve wijze werd hij naar de dichtstbijzijnde kliniek vervoerd. 'Wat daarna gebeurde, kan in een film. De nacht brak aan en Jack zag dat verpleegkundigen hun hoofd op de balie legden voor een dutje. Hij vroeg aan de mensen wanneer de artsen kwamen. 'Morgenochtend', was het antwoord. Met de mogelijke schade aan de binnenkant van mijn lichaam begreep Jack dat zoiets niet kon wachten en hij verliet het kamertje even later opnieuw. Was-ie op 'google' gegaan om te kijken wat het beste ziekenhuis was. Verderop lag een dependance van het Bangkok Hospital, daar wilde hij heen en met geld in handen was hij welkom. Toen hij de plaatselijke verpleegkundigen om ambulancevervoer vroeg, kreeg hij nul op rekest. Legde hij een pakje geld neer, kreeg hij prompt de sleutels van de ambulance. Heeft hij een Thaise man van de straat gehaald om als chauffeur op te treden. Jack was op dat moment mijn redding...'

Ondertussen verbleef zijn vriendin Lindsey nog elders op het Thaise eiland. Frank: 'Ik had tegen haar gezegd dat ze niet meteen mijn ouders moest bellen. Die zouden ongetwijfeld een hartaanval krijgen.' Maar in huize Leeflang was er al een bom ontploft. Vader Klaas heeft vliegangst, maar tussen het telefoonverkeer met zijn dorpsgenoot Jack Kwakman in Thailand, probeerde hij via SOS International twee stoelen in een rap vertrekkend toestel te regelen. Moeder Griet en Neal zouden aan boord gaan. Griet huilde voortdurend en moest met het inpakken van haar koffer worden bijgestaan door schoondochter Lysann. In de hectiek moest nog een paspoort worden geregeld voor haar, want haar enige bezit was een ID-kaart.

Terwijl zij even later het luchtruim kozen, tikte Frank de bodem van het dal aan. Nog voordat zijn vriendin hem in het ziekenhuisbed van de dependance van Bangkok Hospital had aangetroffen, verloor hij de moed. Frank: 'In dat andere ziekenhuis gingen ze te werk zoals het hoort. Werd er ook een scan van me gemaakt. Begonnen ze behoorlijk aan mijn arm te trekken en dat was ongelofelijk pijnlijk. In het Thais zei ik dat ze rustig aan moeten doen, die woordjes had ik geleerd. De pijn hield aan en werd ondraaglijk.

Ik hield het niet meer. Zei ik tegen Jack: *'Trek de stekkers er maar uit'*. Had Jack het niet meer. Hij wist niet wat te doen. Ik wilde absoluut geen morfine. Dan krijg ik nachtmerries en word ik agressief. Ondertussen hadden de artsen tegen Jack verteld dat mijn hart er elk moment mee kon stoppen.'

Uiteindelijk doorstond hij die kritieke toestand, hoewel zijn hart zwak bleef . 'Ik legde me neer bij het feit dat me hetzelfde ritueel stond te wachten als destijds in Luik, na de Nieuwjaarsbrand. Ik wist dat ik geketend zou komen te liggen en had er vrede mee. Dus toen mijn vriendin Lindsey binnenkwam, deed ik mijn twee duimen omhoog, want praten kon nog niet vanwege de beademingsapparatuur. Ik wilde haar geruststellen. Wat komen ging, had ik al eens meegemaakt, terwijl het voor haar als achttienjarige de eerste vakantie betrof zonder haar ouders. Bovendien had zij de Nieuwjaarsbrand niet meegemaakt. Begonnen ze na mijn 'duimen' opeens allemaal te janken. Lindsey, Jack's vrouw. Ik begreep het niet. Bleek dat ook zij wisten dat het eigenlijk elk moment afgelopen kon zijn. Dus toen ik die duimen omhoog deed...'

Nog op Koh Samui volgde de eerste operatieve ingreep. 'Daar hebben ze een scheur in mijn lever gedicht en een gaatje in mijn hart gemaakt, wat noodzakelijk was.' Tijdens die operatie viel zijn hartslag tijdelijk weg, maar met reanimatie kregen ze 'm weer op gang. Vanuit de dependance moest Frank naderhand zo snel als mogelijk worden vervoerd naar het grote Bangkok Hospital in de Thaise metropool zelf. Vanuit Bangkok werd een vliegtuig met professoren ingevlogen en bij aankomst werden stoelen uit dat toestel verwijderd en een soort van noodhospitaaltje ingericht, met chirurgen aan boord. In het geval dat opereren ter plaatse in het luchtruim nodig mocht zijn.

Frank: 'Die gekke Jack riep regelmatig tegen de Thaise mensen dat ik een Very Important Person was in Nederland. Hoe gek het ook klinkt, ze liepen wel wat harder voor me. In Bangkok wachtte hem een vervolgoperatie. 'Heb ik daarna door de morfine een tijdje in een roes geleefd. Ik dacht dat ik volop gesprekken voerde met mensen. Was helemaal niet zo.' Vriendin Lindsey was inmiddels terug naar Nederland, maar broer Neal en moeder Griet arriveerden.

'Toen we aankwamen, had hij net de meest risicovolle operatie achter de rug en overleefd. Hij was wild en zat onder de morfine', verhaalt Neal, die zelf onder invloed van die pijnbestrijder in Luik beweerde dat hij een gesprek met God had gevoerd. 'Om Frank rustig te krijgen, praatte ik steeds op hem in. Tussentijds gaf ik de doktoren aan dat het beter was om hem onder zeil te brengen. Dat doen ze daar schijnbaar niet, terwijl ik dat uit de tijd na de Nieuwjaarsbrand gewend was. Hij wilde uit bed en probeerde van alles te verzinnen om dat voor elkaar te krijgen. Hebben ze 'm op een gegeven moment met lakens vastgebonden. Moest wel. Die Thaise zustertjes wegen 25 kilo, die kunnen hem niet aan.'

Griet: 'Frank communiceerde zelfs met de tube in zijn mond en gebruikte zijn duimen en handen. Onvoorstelbaar. Het is dat-ie zo sterk is, anders was-ie weggeweest. Eén van die Thaise doktoren probeerde dat in zijn beste Nederlands en met gebaren aan Frank duidelijk te maken. *'Eén Frank, vijf Thai'*, gebaarde hij steeds.'

Neal: 'Het was een *superziekenhuis*. Voor elk wissewasje had hij een andere dokter, die kwamen beurtelings binnen, van 's morgens vroeg tot 's avonds laat.' Zelf was hij ook van vroeg tot laat in de weer. 'Vanwege het tijdsverschil zat ik 's nachts tot twee uur te chatten en te bellen met Volendam, met mijn vriendin Lysann en mijn vader. Om zeven uur zat ik dan weer bij Frank aan z'n bed.

Het waren twee lange weken voor mij. Ik vond het moeilijk als ik Lysann aan de lijn kreeg. Ik had haar moeten achterlaten... Ben niet zo'n emotioneel type, maar toen we naar Schiphol gingen en afscheid moesten nemen van Lysann en m'n vader, heb ik wel even staan te janken.'

Hij bleef zo lang mogelijk in Bangkok. 'M'n moeder beheerst de Engelse taal niet en ze kon bovendien Frank niet in toom houden. Het was een bijzondere ervaring. Regelmatig zaten we op een gangetje buiten zijn kamer tussen de Arabieren en Thaise mensen in. Een in Thailand woonachtige Volendammer, Henk Koning, kwam speciaal elke dag onze kant op vanuit Pattaya om mijn moeder afleiding te geven en met haar op pad te gaan. Echt top. Toen ik terug naar Volendam ging en Frank en m'n moeder achter moest laten, had ik het ook weer heel moeilijk.'

Griet: 'Toen Frank ons voor het eerst gezien had en naderhand wat rustiger werd, zaten wij even op dat gangetje naast zijn kamer en dacht ik: waar zijn we nou weer terechtgekomen? *Als-ie maar weet, dat-ie niet meer verder komt dan Texel*, zei ik toen nog. Frank: 'Uiteindelijk heb ik er vier weken gelegen. Na twee weken ging Neal weg. Hij wilde ontzettend graag dat ik helemaal wakker was als hij zou vertrekken. Toen het zover was, was ik nog niet helemaal bij, maar ik voelde wel dat hij vertrok. Dat was heel emotioneel. Bleef m'n moeder bij me. Ik probeerde er herstellende weg wat leuks van te maken in het ziekenhuis. Verpleegstertjes voor de gek houden, Thaise woordjes leren.'

Eenmaal terug in Volendam, was er een warm onthaal. Maar werd hij tot dusver nooit de oude. 'Ik heb nog niet vol aan het werk gekund. Liep een littekenbreuk op, maar had ook nog problemen met m'n gehoor, darmen, een longontsteking en mijn arm. Maar ik wil niet accepteren dat het lichamelijk niet meer zo wordt, als vóór de klap. Het is verschrikkelijk om wéér zoiets mee te maken, maar ik wil weer die ladder op, met mijn verfbus en kwast, aan het schilderen. Radiootje aan, lachen met collega's. Ach, ik zie het zo: ik heb nu al twee levens achter de rug. Een kat heeft toch zeven levens? Dan had ik er negen...'

Hij oogt als een no-nonsense-type. Maar na de tweede aanvaring met het leven wenste hij toch wat vragen graag beantwoord en ging bij twee waarzeggers op audiëntie. 'Ik had vragen. Ben 25 jaar en dan al twee bijna-doodervaringen meegemaakt. Ik was nieuwsgierig. Hoe mijn toekomst eruit zag en hoe het de overleden mensen uit mijn omgeving verging.' De bevindingen van het eerste en tweede medium dat hij bezocht, vertoonden veel overeenkomsten. 'Dat ik komend jaar oom wordt en Neal en zijn vriendin een tweeling krijgen. En dat ik later een eigen bedrijfje ga beginnen. Mooi toch', lacht hij.

'In eerste instantie bleek mijn aura open te staan en daardoor was ik zo vatbaar voor ongelukken. Werd ik met water besprenkeld en zo is het dichtgemaakt. Over verleden en toekomst hadden ze zo'n beetje hetzelfde verhaal. Ook dat ik ouder zou worden dan 80 jaar. Ik zie het ook allemaal positief in. Misschien heb ik alle ellende nu gehad die de meeste mensen pas op latere leeftijd krijgen. Het gaf een goed gevoel. Ik weet niet of ik me helemaal aan die spirituele gedachten moet vasthouden, maar ik weet tenminste een beetje wat me staat te gebeuren. Alhoewel, je weet het nooit...'

Afgelopen zomer keerde hij terug naar Thailand. 'Veel mensen konden het niet begrijpen, maar ik wilde terug naar die plek. Tenslotte kon het land Thailand er niets aan doen wat er gebeurd was en die mensen in het ziekenhuis hebben er alles gedaan wat in hun vermogen lag om me te redden. Hen wilde ik bedanken. Dus ben ik er een jaar later, afgelopen zomer, weer heengegaan. Naar de plaats waar het gebeurde met het vuurwerk. Naar de eerste kliniek, naar Bangkok Hospital. Had ik allerlei souvenirs meegenomen, zoals Hollandse molentjes. Is toch leuk voor die mensen daar? Tja, ik loop hier tenminste nog rond, dat heb ik mede aan hen te danken. Het is tevens een prachtig land. Dus we wilden het over doen.'

Griet: 'Frank had nog wel eens wat aan de hand en daarom denken veel mensen in Volendam dat hij het zelf gedaan heeft met dat vuurwerk. Daarom heeft-ie zoiets van: ik ga niet weer alles uitleggen, het is goed zo. Snap ik ook wel.' Klaas: 'Het was illegaal vuurwerk en ongelukken daarmee zijn er aan de orde van de dag. Een week eerder was er nog een jongen in het ziekenhuis binnengebracht die door zo'n knal blind was geworden. Hebben wij nog geluk gehad. En laat één ding duidelijk zijn: hier kon Frank niks aan doen. Het was domme pech.'

Griet: 'Neal is hard voor zichzelf. Maar hij heeft zo'n klein hartje'. Griet houdt haar duim en wijsvinger dicht bij elkaar. Frank: 'Onze ouders hebben al veel met ons meegemaakt. Als hen wat zou overkomen, staan we ook meteen naast hun bed. Ik voel wel dat we een hechte gezinssituatie hebben. Je verheft je stem wel eens tegen je moeder, maar ze kan ons wel hebben en laat ons wel eens lullen. Het is een sterke vrouw. En ik denk dat ze blij is met haar twee schoondochters. Kan ze dingen delen en ze kan met hen op pad. Wij zijn types die zeggen waar het op staat. Voorheen was ik nog een tikkeltje erger, maar ik ben rustiger geworden. Het werd niet altijd gewaardeerd. Inmiddels ben ik van de stof: het leven kan heel kort zijn. Dat heb ik twee keer heftig ervaren. Daarom, maak er wat van, is mijn motto.'

De zomer en winter hebben zo hun souvenirgehalte. '31 december en 1 januari, het blijven *'rotdata'*. Zelfs als het straks 2020 of 2050 is. De laatste jaren was ik steeds in het buitenland met oud & nieuw. Vind ik prettig. Op het tijdstip van 'de brand' denk je er zeker aan, dat blijft. Zoals dat ook de vakantieperiode je er altijd aan doet denken. Voor m'n vriendin was het pittig wat ze vorig jaar heeft moeten doormaken. Vakantie, dat moet je een blij gevoel geven. Niet zo'n soort strandavontuur als toen... Ik weet nog dat ik vanuit Thailand op een gegeven moment gebruik mocht maken van een webcam. Liet ik mijn verwondingen zien aan het thuisfront. Zei de moeder van mijn vriendin vanuit Volendam: *'echte mannen hebben littekens'*. Vond ik wel grappig.'

Het kruisje hangt alweer een tijdje om zijn nek. 'Het heeft gezelschap gekregen van een Buddha-hanger. Dat, Het Geloof, de lucht, het water, het zijn de elementen van mijn leven. Ik geloof nog wel. *Hij* heeft me al wel twee keer in de val laten lopen', glimlacht hij. 'Maar je hebt toch houvast nodig in het leven. Dus kom je weer bij Het Geloof terecht.'

'Ze hangen aan elkaar, de broers', zegt moeder Griet, die hoopt dat haar achtbaan vol vreemde capriolen zijn laatste ritje heeft gereden. 'Ik heb me na de Nieuwjaarsbrand aangesloten bij een gespreksgroep met moeders. Ik praatte er wel over, maar voerde eigenlijk veel meer gesprekken met mezelf, in m'n hoofd. Ik had het er al tijden moeilijk mee, maar toen alles een beetje z'n gangetje leek te gaan, kwam het eruit en ging ik over de rooie. Lag ik 's nachts aan die film te denken, van wat we mee hadden gemaakt.

Dan kwam ik er niet uit.'

'In die tijd probeerde Neal nog steeds aan het werk te blijven als bouwvakker. Zag ik 'm in de winter thuiskomen, met z'n handen zwartgekleurd van de kou. Dan dacht ik: *jongetje, jongetje toch*. Toen heb ik hulp gezocht bij het SPEL en met een psychologe gesproken. Daar kon ik alles kwijt. Gelukkig dat Klaas zo ondernemend is. Hij gaat achter dingen aan en daarom kon Neal uiteindelijk ook bij het gemeentekantoor terecht, daar waren we heel blij mee. En als die film nog wel eens 's nachts voorbijkomt, dan probeer ik meteen aan iets anders te denken en dat lukt me. Hadden we daarna ook nog die periode met Frank. Hij deed raar. Ik dacht van emoties van 'de brand', maar het waren die verdraaide spullen', doelt zij op drugs.

Klaas: 'Hij deed het met vrienden en toen hebben we die ouders erbij gehaald en zijn we een hulptraject ingegaan. Frank legde uit wat hem dwars was gaan zitten en dat kwam aan als een dreun. We hadden er duizend keer over gesproken, want we merkten ook wel dat er iets aan de hand was. Kwam er visite voor Neal, dan ging Frank ineens naar boven. Hij zei steeds dat alles wel goed ging, maar hij zat met het probleem en sprak het niet uit. Dachten wij dat we alles hadden gehad. Gelukkig pakte hij het goed op en de vrienden van zijn broer Neal deden dat ook zelfs, op hun manier. Die hielden hem in de gaten en op het goede spoor.'

Klaas: 'Nee, dat hele verhaal van 1 januari 2001 en daarna, dat gaat nooit meer uit je leven vandaan. Ik denk dat het best moeilijk gaat worden, 1 januari 2011. Het herinnert je aan alles.' Griet: 'Als het straks tien jaar geleden is, zullen we er in die nacht onge-twijfeld bij stil staan. We zitten altijd met vrienden en eigenlijk komt het elk jaar wel ter sprake. Maar wat bij mij sterker speelt, is dat ik aan de toekomst van de jongens denk. Aan mooie dingen. In plaats van aan *'klote-dingen'*, zoals we daar inmiddels teveel van hebben gehad.' Klaas, glimlachend: 'Dan hopen we dat er eens een andere slinger voor het raam komt te hangen: die van *'hoera, het is een dochter of zoon'*, bij Neal in huis.'

'We hebben inmiddels een aardige prijzenkast opgebouwd', zegt hij met cynische ondertoon. 'Maar nu graag een paar jaren zonder gifbekers. Elke keer als de telefoon 's avonds laat gaat, heb je toch weer die schrik. En hetzelfde geldt voor sirenes van ambulances of brandweer. Afgelopen zomer hadden we weer een brand in een pand aan de Volendamse haven. Gingen de sirenes af en aan en ik was in het dorp. Dan neemt het je toch weer mee naar toen. Ben je gewoon weer even van slag. Maar alles wat spannend is, daar blijft Frank van nu af aan uit de buurt, zo hebben we afgesproken.'

'Als hij over een tijdje de deur uit gaat, hebben we misschien wat rust', vervolgt Klaas. 'Begrijp me goed, ik ben blij dat we voor hem kunnen zorgen. Maar het is wel heel hectisch geweest, de afgelopen tien jaar. Het is een dubbel gevoel. Frank heeft van die lekkere geintjes. Lig je te slapen in de bank, dan tikt hij je zachtjes aan: *'pa, slaap je al?'.*' Griet: 'Je moet verder, maar ik zou graag een wat zonnigere toekomst zien. Ik zorg dat ik er af en toe even tussenuit ben. Verlang altijd naar de zaterdagen. Dan ga ik met een vriendin winkelen of wandelen.'

Klaas heeft zich net als een aantal dorpsgenoten als vader vanaf het begin ingezet voor de belangen en toekomst van de getroffen jongeren, die bij vakbond FNV aangesloten waren. 'Een aantal mensen verdient een pluim, vooral de voorzitter van Stichting

Slachtoffers Nieuwjaarsbrand Volendam, Eric Tuijp, die zich belangeloos tot op de dag van vandaag inzet voor de groep. Zelf vecht ik nog steeds voor bepaalde dingen voor de jongeren, zoals bijvoorbeeld huishoudelijke hulp voor de groep ernstig verbranden. In Volendam kun je altijd wel een beroep doen op andere gezins- en familieleden, maar die hebben ook hun grenzen.'

Hij werd in eigen dorp regelmatig als een boeman gezien, omdat hij met volharding opkwam voor de rechten van zijn kind en andere jongeren. 'Ik vecht ervoor. Deed ik ook voor Frank, toen hij in Thailand lag. Zou ik na twee dagen uitsluitsel krijgen van de verzekering voor het dekken van de vliegkosten. Maar mijn zoon kon dood gaan, dus ik moest meteen iets weten. Dan zet ik door. Toen heb ik belangrijke hulp gehad van onze lokale verzekeringsagent, Hans Bakker. In de tijd na de Nieuwjaarsbrand kwam het ook omdat Neal één van de oudere slachtoffers was op dat moment, met een arbeidsverleden. Dan loop je tegen zaken aan waar anderen nog niet mee te maken krijgen.'

'Het gaat je niet in de koude kleren zitten en alles wat er gebeurt, komt er een gegeven moment ook uit. Kreeg ik opeens gordelroos. Of je bent soms gewoon helemaal op. Je breekt wel eens. Ik ben helemaal niet iemand die huilt, maar als bijvoorbeeld een sporter een medaille wint en het Wilhelmus klinkt, dan schiet ik vol...'

'Voor ons is belangrijker geworden hoe de mens in elkaar steekt. Niet de materialen die we hebben of kunnen krijgen. Bepaalde spullen zitten al zolang in dit huis, normaal gesproken hadden we dat allang vervangen. Maar da's niet meer zo belangrijk.'

Griet: 'Ik ben harder geworden. Naar buiten toe. Ik heb altijd klaargestaan voor anderen. Zo'n zestien jaar vrijwilligerswerk gedaan. Liep ik vorig jaar hielspoor op en was ik een tijdje uit de roulatie. Lieten ze niets van zich horen. Dan denk ik wel van 'laat dan maar'. Dan is het vanzelfsprekend geworden, dat vrijwilligerswerk, en zo is het nou ook weer niet. Bij mij gaat het ook niet allemaal vanzelf. De bevalling van Frank was destijds zwaar. Ik had de zwaarste versie van Symphysiolyse (bekkeninstabiliteit), waardoor ik drie maanden in een hangmat heb gelegen en anderhalf jaar niet goed heb kunnen lopen. Nog altijd moet Klaas de zwaarste boodschappen tillen.'

Achter de raampjes van haar gezichtsveld dringen de tranen op de meest vreemde momenten zich op. 'Nu kan ik bijvoorbeeld wel emotioneel worden van bijvoorbeeld iets wat je laatst op tv had, een film waarin een hond zijn baasje verloor bij het treinstation. Ging-ie in de jaren daarna nog elke dag trouw naar het spoor, wachten tot zijn baasje kwam... Dan krijg ik zo een brok in m'n keel. Helemaal omdat wij ook zo'n lieve hond hebben.'

Of zij straks ook zakdoeken nodig heeft, als in december haar oudste zoon naar het altaar schrijdt en in de plaatselijke kerk zijn huwelijk met Lysann wordt voltrokken? Even volgt er geen antwoord. Haar ogen worden vochtig. 'Of iemand van ons Neal naar het altaar begeleidt? In Volendam gebeurt dat niet zo vaak. Het kan wel. Maar ik weet nu al dat ik dat niet aankan... Weet je, toen Neal drie jaar geleden voor het eerst in zijn eigen huis ging slapen en hier de deur uitliep, keek hij achterom, met tranen in zijn ogen. *'Nou moet ik weg uit dit huis'*, zei hij. Dat vergeet ik nooit meer. Toen ik zag wat het met hem deed, zei ik: *'Nou, dan hebben wij het goed gedaan, jongen'.'*

GEEN BERG TE HOOG

TOM KWAKMAN

Als constructeur/ingenieur gaat hij berekenend door het leven. Buiten zijn vakgebied is het niet anders, poogt hij alles te programmeren. Terwijl Tom Kwakman (27) tien jaar geleden juist aan den lijve ondervond, dat het leven onberekenbaar kan zijn. De artsen in Nederland becijferden destijds, in de eerste dagen na de Nieuwjaarsbrand, dat het te verwachten dodental richting 20 of 25 zou gaan. De teller stopte gelukkig bij 14. Van de vijf tot tien personen waarmee ernstig rekening werd gehouden dat ze zouden te komen overlijden, op dat lijstje prijkte de naam Tom Kwakman in die uren en dagen regelmatig bovenaan. De ambulancebroeder die hem vervoerde naar het VU-ziekenhuis, keek in de dagen erna in de krant dagelijks naar de rouwadvertenties. Toen duidelijk werd, dat de Volendammer alleen in België geholpen kon worden, wachtte er een helikopter. Maar in de ambulance moest hij tot drie keer toe worden gereanimeerd, waarop besloten werd hem met hoge snelheid per ambulance naar de zuiderburen te vervoeren. Hij lag vervolgens het langst aaneengesloten in het ziekenhuis. De medici daar gidsten hem letterlijk en figuurlijk door het dal naar de top. En haalde Tom Kwakman alsnog de kolommen van De Telegraaf. Bijna tien jaar na dato bereikte hij immers het dak van Afrika, de top van de Kilimanjaro (5895 meter).

Ze kenden zijn historie niet of hadden misschien iets vluchtig opgevangen, de buitenlanders die net als Tom onderweg gingen naar
de bergtop. Of, zoals hij later, waren afgedaald. De verwondering
zat in hun blikken of in hun woorden. Bij het zien of aanhoren
van de Volendammer zagen ze een kwetsbaar lichaam, dat tegelijkertijd oersterk blijkt te zijn. 'Tuurlijk is het een grote prestatie.
En die dag van het behalen van de top en dagen erna voelde ik me
ook magistraal. Maar echt genieten op het moment zelf, dat heb ik
niet. Ik beleefde het wel helemaal, hoor, op die top. Maar weken en
maanden later kan ineens het echte gevoel komen. Als ik iets ruik
of zie wat het weer oproept, die berg. Het is best wel jammer dat
het vaak pas later komt en ik probeer het te veranderen. Maar het
lukt niet altijd. Ik genoot echter enorm van het in de bergen zijn.
Wilde eigenlijk niet weg. Zo mooi vond ik de expeditie. Het was
heel koud en primitief, maar ik kijk vaak naar uitzendingen van
Discovery Channel, dus ik wist wat ik kon verwachten.'
'Ik ben ook een type die dan meteen weer gaat relativeren. We
hadden in het Kilimanjaro-gebergte 55 Tanzaniaanse dragers
mee, die vanaf dag één naar elk nieuw kamp alles mee naar boven
tilden. Het eten, het drinken, de tenten. In een oude broek, zonder
bergschoenen, met weinig water en zonder te klagen. Dat vind ik
dan een topprestatie. Aan de andere kant vertelde één van hen dat
de meeste dragers – als ze niet eerder ander werk gaan zoeken –
maar veertig jaar worden. Omdat het teveel van het lichaam vergt.'
Zoals hij dagelijks het geografische reliëf in het Afrikaanse bergmassief zorgvuldig in zich opnam, zo weinig perspectief zag hij op
een gegeven moment tijdens zijn meer dan een half jaar durend verblijf in het ziekenhuis van Brussel. 'Ik ben een man van sommetjes
en vergelijkingen. Toen, na een paar maanden in het ziekenhuis,

opeens alles tegelijk kwam en ik zelf niks kon, waren er twee dagen dat ik even niet de zin van het vechten kon zien. Ik zat onder de morfine. Dan zijn je gedachten vertroebeld. Als je dan na maanden te horen krijgt wie er zijn overleden, je je eigen nieuwe gezicht krijgt te zien, niet kan lopen, dan geloof je het ook wel qua eten. Het ging zo diep allemaal, dieper kan volgens mij niet.'

'Ik was boos. Ik weet nog dat ik twee nachten met de nachtverpleegster over van alles heb gesproken. Overdag had ik dat niet, dan was ik blij als er een bekende op bezoek kwam. Vond ik gezellig, ging ik opbouwende heen. Als je na een paar maanden wakker wordt en alles ineens te horen krijgt en eigenlijk niks weet van wat er al die tijd in Volendam is gebeurd en gezegd, dan ben je boos op het hele gebeuren. Ik wist alleen dat 'het' gebeurd was en dat er dingen niet in orde waren die nacht. Kreeg een Nivo (Volendamse weekblad, EV) met alle foto's van jongeren die er niet meer waren...'

Hij miste het uitzicht, om voor te leven. 'Totdat het 'Koen de Blauwmoment' kwam. Een Belg, vriend van één van mijn toenmalige therapeuten Luc de Clerck. Koen was een keer 's nachts zwaar verbrand geraakt doordat een wekkerradio in de brand vloog. Hij kende veel van dezelfde beperkingen, maar was bezig met een eigen bedrijf, voetbalde weer en zou met Luc – een militair – en andere medici de Mont Blanc gaan beklimmen. Ik ging mijn situatie met die van Koen vergelijken en kon me daar aan optrekken. De knop ging om. Dan zou ik ook weer kunnen voetballen en zo is ook het idee ontstaan dat Lou Snoek en ik met Luc en andere Belgische artsen en chirurgen de Mont Blanc zouden gaan beklimmen.'

'Lou en ik waren destijds in het ziekenhuis als Contador en Schleck, de heersers in de Tour de France van afgelopen zomer.

Lou lag qua herstel voorop. Als hij iets goeds deed, ging eten of begon te lopen, kwam m'n vader me dat vertellen, in de hoop dat ik dat ook snel zou gaan doen. Ik was wat zwakker, meer verbrand over mijn lichaam. Maar het moet worden gezegd, godzijdank is mijn vader zo, want dat hielp wel.'

'Klinkt gek, maar ik heb een toptijd gehad in het Belgische ziekenhuis. Heb zoveel waardering voor de manier waarop ze mij er bovenop hebben gekregen. Die verplegers en verpleegsters, ze waren zo vriendelijk, maar ze zorgden dat je at wat je moest eten, op de juiste momenten konden ze hard zijn. Dan moest je bijvoorbeeld na het verzorgen van de wonden en het in bad gaan zelf je bed instappen. Dat kon niet. Maar je moest. Dan konden ze je tot het uiterste drijven en dan wilde je ze op dat moment wel wat aan doen. Maar ze deden het op een verantwoorde manier. Dan probeerde je het toch zelf en kreeg je van hen net even dat steuntje.'

Nadat Tom, Lou en de Belgen in 2002 in het Mont Blanc-gebied 'sfeer proefden', volgde in 2004 de expeditie richting de top. 'In de voorbereiding ging van alles mis en toen we naar 3500 meter hoogte stegen, werd ik op de terugweg hoogteziek. Een heel raar gevoel. Ik moest meteen naar beneden met de artsen en knapte snel op. Daarom wilde ik twee dagen later met hen en met Lou mee naar de top, maar dat vonden ze niet verantwoord. Destijds is gezegd dat we ooit nog de top van een andere berg zouden proberen en dat is dus onlangs gelukt.'

'Vooraf had ik mijn omgeving erop voorbereid dat het wel eens zo kon zijn dat ik eerder af moest dalen in Afrika, er rekening mee houdend, dat de hoogteziekte weer kon toeslaan. Dit keer slikten we, in beperkt aantal milligram, pillen tegen de hoogteziekte.

Dan voelde je wat tintelingen door die pillen. Maar ik zei niks, bang dat ik niet verder mocht. Elke morgen kwam de man die mij en Lou destijds mede geopereerd heeft, Bert Van den Hof, langs de tentjes op de Kilimanjaro. Hoe we hadden geslapen en of we iets van hoofdpijn voelden. Juist op dat moment leek ik dan iets te voelen. Maar ik wilde me niet laten kennen. Terwijl ik toch elke nacht in het tentje eventjes bang was, dat het toe zou slaan. Gelukkig is het niet gebeurd. Tijdens die laatste dag naar de top, voelde ik me heel goed. Ik ben een planner, bereken alles. Deed ik ook naar de top toe. Vroeg ik aan expeditieleider René de Bos wat de afstand was tot een bepaald punt, dan maakte ik een sommetje van de stappen en het aantal hoogtemeters. Dat werkte goed voor mij.'

De prachtige omgeving, de chemie in de groep, de vrolijke en serieuze momenten onderweg, het afscheid van de dienende Afrikanen en de speeches van de Belgische chirurg Michel van Brussel en expeditieleider René de Bos, aan de buitenkant leek het hem onbewogen te laten, maar van binnen ontroerde het hem. 'Ik huil eigenlijk nooit, maar bij die woorden van René moest ik wel even slikken. Het waren twee zeer bijzondere weken.' Met – behalve de kou als oorzaak – tal van kippenvelmomenten. Een emotionele reactie die bij hem fysiek niet meer kan ontstaan.

'Dat gaat bij mij niet, want ik heb geen haren meer op mijn huid. Dat manifesteert zich bij mij op een andere manier. Als ik zo'n emotie voel, bijvoorbeeld bij een concert of een bepaald liedje, dan krijg ik rillingen en tintelingen bij m'n bovenbenen en kont. Ik ben gek van muziek. Vind het prachtig om nieuwe onbekende bandjes en nieuwe muziek op te sporen, veelal underground. Dan kunnen de teksten me aangrijpen. Zoek ik liedjes die bij de sfeer passen, zoals ik dat op mijn iPod deed toen we in het Kilimanjaro-gebergte waren. Maar ik kan ook uit m'n dak gaan tijdens festivals. Urenlang springen voor het podium, of zelfs een keertje 'crowdsurfen'.'

'In de tijd voor 'de brand' noemden vrienden me al vaak 'Tom liedje'. Toen had ik al veel met muziek. Ik weet ook nog precies welke liedjes er voorbij kwamen op die oudejaarsavond van 2000, tijdens het zogeheten 'voorzitten', bij een vriend thuis. Weet dat ik zelfs nog tussentijds naar huis ben gegaan omdat mijn vader vis aan het bakken was, lekkere slibtongetjes. M'n vrienden verklaarden me voor gek. We zijn pas laat naar de bar gegaan en zaten in De Blokhut. Als enige was ik naar De Hemel gegaan na twaalf uur, om mijn neef Jack Kwakman op te zoeken. Van wat er na het vuur gebeurd is, kan ik me nauwelijks tot niets herinneren. Ook niet dat ik door Simon Keizer en een vriend van hem De Hemel uit ben getild en dat Johan Plat (bijgenaamd Flip) me al snel in een ambulance heeft weten te krijgen.'

'Mensen vragen wel eens of ik de pijn van het vuur heb gevoeld. Maar daar weet ik ook niks meer van. Zoals je jaren later nauwelijks meer aan kunt geven hoe bepaalde pijn heeft gevoeld. De uitspraak van één van de verpleegkundigen in het Brusselse ziekenhuis is me altijd bijgebleven. Als onze wonden daar werden schoongemaakt, was dat ongelofelijk pijnlijk. 'Weet je', zei ze. 'Over vijf jaar herinner je je deze pijn niet meer'. En zo is het ook. Je weet dat het heel pijnlijk was, maar kunt er geen getal, geen waarde aan geven. 'Twintig pijn' bestaat bijvoorbeeld niet. Eigenlijk is dat maar goed ook. Eigenlijk is dat met alle emotie zo. Je kunt verdriet hebben om een verbroken relatie, maar na een aantal jaren kun je niet precies voelen hoeveel pijn dat destijds deed. Hetzelfde geldt als je met mensen enorm hebt gelachen. Kun je later proberen na te vertellen, maar het is nooit meer zo hilarisch als toen.'

Tom, van wiens lichaam liefst 76 procent derdegraads verbrand raakte en de resterende huid die nog intact was, afgeschaafd moest worden om de andere wonden mee te beleggen, kreeg pas later meer mee van de pijn die zijn ouders en directe omgeving had gekweld. 'Het duurde bijna een half jaar voordat ik alles kreeg te horen en mezelf voor het eerst zag. In één week kreeg je te horen dat er – toen nog – dertien overleden waren en kreeg ik voor het eerst mijn gezicht te zien, terwijl ik instabiel was. Het was teveel tegelijk. Wat de mensen om me heen hadden doorgemaakt, dat landde nog niet echt.'

'Je kunt jezelf geen voorstelling maken van iets wat je zelf niet hebt meegemaakt. Bovendien ben je in zo'n periode zó druk met jezelf bezig. Om te overleven. Dan is er geen ruimte in je hoofd om los van je eigen dingen ook met de dingen van iemand anders bezig te zijn. Als de mensen die aan m'n bed kwamen iets vertelden, dan was ik oprecht geïnteresseerd. Maar er bleef weinig tot niks hangen. Klinkt misschien egoïstisch en zo was het misschien ook wel. Maar ik was bezig met vragen als: ga ik straks nog naar school, zoals ik er toen dacht uit te zien? En zo ja, ga ik dan nog wel met de bus?'

'Vlak na mijn thuiskomst kreeg ik thuis studieles. Als mijn moeder dan naar de supermarkt ging en ik wilde er toch even tussenuit, dan ging ik met haar mee. In de auto. Dat was veilig. Ik woog toen vijftig kilo en was slecht ter been. Maakte me druk om het feit dat als ik weer naar school mocht, ik vooral in dezelfde klas moest belanden. Die leerlingen wisten tenminste wat er was gebeurd. Ik moest er niet aan denken, dat ik in een nieuwe klas zou komen...'

'Mijn moeder zei het destijds vaak: 'ik heb weer een kindje thuis'. Ik moest opnieuw zelf leren ademen, leren lopen, ik moest gewassen worden door m'n moeder, ze moesten me voeren met eten, m'n vader moest me naar boven tillen. Ik was afhankelijk van mijn vader en moeder. Dat kan wel moeilijk zijn, maar ik had geen keuze, dus daar zette ik mezelf meteen overheen. Had naar het revalidatiecentrum in Heliomare gekund, maar na een opname van ruim een half jaar in België wilde ik gewoon thuis zijn.'

Zoals hij zichzelf pas na een half jaar in de spiegel zag, zo kreeg hij jaren later opeens een blauwdruk voorgehouden van wat zijn ouders hadden moeten doorstaan. 'Vijf jaar geleden moest ik in het Belgische Leuven weer geopereerd worden aan een stuk huid bij mijn kin, mijn arm en keel. Ik moest een maand blijven. Dan geneest het beter, dan wanneer je telkens op en neer gaat tussen België en Nederland. Het begin was leuk, ik had een landgenoot op de kamer en we keken samen voetbalwedstrijden. Totdat hij vertrok en een paar dagen later tot twee keer aan toe de deur van mijn kamer – ik lag aan het einde van de gang – angstvallig dicht werd gehouden, terwijl die elke dag openstond.'

'Vroeg ik aan de verpleegster of er iets aan de hand was. Vertelde zij dat er een moeder en een kind waren binnengebracht bij mij op de gang. Het bleek dat de moeder, terwijl zij met twee kinderen – een tweeling – thuis was, de strijkbout aan had laten staan. Dit was de oorzaak van de brand. De ene helft van de tweeling was meteen overleden door de brandwonden, de ander lag in de kamer naast mij op de gang. Ingepakt als een mummie, zoals ik ook weken had gelegen. Als ik moest douchen op de gang, keek ik stiekem snel achterom. Zag ik het kind liggen. Op de gang was het muisstil. Als ik in mijn bed lag, hoorde ik een paar keer per dag de moeder in de rolstoel vanuit haar kamer naar die van haar kind rijden. Het geluid van die wieltjes, die dan remden en draaiden, zodat ik wist dat de moeder dan voor het raam stond te kijken naar haar kind, dat in coma lag. Dat geluid. Dan voelde ik: zo hebben mijn ouders ook wekenlang een paar keer per dag gestaan.'

'Ik had een boek meegenomen naar het ziekenhuis, maar ben volgens mij na drie bladzijdes blijven steken. Ik leefde mee, vroeg alles aan de verpleegsters. Zelfs ík moest toen huilen. En nu ik er over vertel, heb ik het weer moeilijk...'

'Ik kreeg als het ware een samenvatting voorgehouden van hoe de situatie voor mijn ouders was geweest. Ik heb nog gesproken met de vader van dat gezin en met de opa. Goede gesprekken, waarin die vader aan de weet wilde komen wat er allemaal nog kon als het kind het zou overleven. Ik vertelde over wat ik allemaal had gedaan. De moeder zou misschien ook nog langskomen, maar ik denk dat ze de stap niet durfde te maken. Ze heeft me wel gezien. Ik ervoer het op dat moment als dat zij dacht: komt mijn kind er dan zo uit te zien? Terwijl zij degene was die de strijkbout aan had laten staan.'

'Toen ik een weekeinde naar huis mocht en daarna terugkwam in het ziekenhuis, begonnen de verpleegsters te huilen toen ik vroeg waar de moeder en het kind waren. Ook de andere helft van de tweeling was overleden. Ik wilde meteen weg. Niet meer dagenlang in het ziekenhuis liggen en dan alleen in het weekeinde naar huis, maar gebruik maken van de ambulante zorg, in mijn eigen omgeving.'

'Ik had een heel dubbel gevoel. Wilde een kaart schrijven naar de ouders, maar wat moest ik schrijven? Ik had de vader verteld wat er allemaal nog kon in het leven, maar nu was zijn kind overleden. Het is er niet van gekomen, die kaart. Misschien wel slecht van mij.'

Het kwam er ook nooit van om zijn dankbaarheid uit te spreken richting zijn eigen ouders. 'Terwijl ik dat wel wilde, heb ik dat eigenlijk nooit echt uitgesproken. Voor alles wat ze met name in die tijd na 'de brand' voor mij gedaan hebben. Nu ik sinds een kort tijdje uit huis ben, merk ik aan de kleinste dingen hoe goed ik het thuis heb gehad. Is vaak zo, als het er niet meer is. Alles stond altijd klaar voor me. Het was misschien vanzelf-sprekend. Het gekke is dat je nu niet meer bij je ouders aan gaat bellen om te zeggen hoe dankbaar je bent. Dat zit in ons, dat heb ik van mijn vader. Wij gaan niet zo naar het emotio-nele toe, dat heeft m'n moeder wel. Het zijn twee tegenpolen.' 'M'n vader bekijkt alles heel rationeel. Dat wil ik ook helemaal niet veranderen. Ik weet hoe hij is. Toen ik destijds mijn nieuwe gezicht nog niet had gezien, zei m'n vader dat het wel meeviel. Dat baseerde hij op de gezichten van andere jongeren, maar hij is ook het type van: zo is het nou eenmaal en daar moeten we het mee doen. Toen ik mezelf voor het eerst zag, was ik boos, want het viel niet mee. Dat duurde een uurtje, maar toen ging ik verder. En vond ik de uitspraak van mijn vader eigenlijk legendarisch. Want hij weet dat ik óók zo ben. Ik kon het hebben. Menig psycholoog zal er misschien een vraagteken bij zetten, maar achteraf gezien had hij het niet beter kunnen doen. Ik ben ze erg dankbaar, mijn vader, moeder en m'n zussen. Erg dankbaar.'

In de eerste maanden dat hij in coma lag, zat zijn moeder elke avond thuis aan zijn lege bed, op haar knieën, te bidden. 'Dat is mijn moeder. Misschien heeft ze het ooit verteld, maar ik was het eigenlijk alweer vergeten. Toen ik het laatst hoorde, raakte dat me. Ik zou het waarschijnlijk zelf ook doen als mijn kind zoiets zou overkomen. Ik denk er wel vaak over na, kinderen. En ook over hoe ze zouden kunnen reageren. Dat ze misschien anders naar hun vader zullen kijken. Als ik echt een erge opmerking zou krijgen van een kind; ik weet niet of ik dat aankan. Ik ben gek op kinderen. Let er vaak op als ik ergens binnenkom: hoe kinderen naar mij kijken en naar een ander. De toekomst zal het me leren hoe het gaat.'

De toekomst, die destijds maandenlang uitzichtloos leek, maar uiteindelijk toch weer kleur kreeg. 'Eigenlijk praat ik altijd over het leven vóór en na de brand. Zoals onze jaartelling vóór en na Christus aangeeft. Het zijn twee totaal verschillende levens, al zeiden mijn gedachten na 'de brand' al snel dat ik erná gewoon alles zo wilde doen als ik het ervóór zou hebben gedaan. En ik zou de kansen pakken die me geboden zouden worden na de Nieuwjaarsbrand.'

Die kansen kwamen. Zoals de bijzondere gelegenheid om met zijn artsen op expeditie te gaan. 'In het Mont Blanc-gebied hadden we al een prachtige ploeg. Maar toen werd ik hoogteziek. Eigenlijk gebeurde er altijd wel iets met mij. Ik noemde mezelf een pechvogel. Dat kunnen grappige dingen zijn, maar ook heftige dingen. Van onze toenmalige vriendengroep was ik de enige die verbrand raakte en niet zo'n beetje ook. Toen we de Mont Blanc gingen beklimmen, liep mijn voorbereiding ook helemaal verkeerd. Ik ging door mijn enkel, m'n relatie strandde en vlak voor de toppoging werd ik hoogteziek en mocht ik niet mee naar boven. Toen dacht ik echt: ik moet wel een heel slecht iemand zijn geweest in het vorig leven. Dat ik daar in dit leven voor moest boeten...'

'Niet dat ik bijgelovig ben, maar mijn gedachten worden soms gewoon verhoord. In voorbereiding op de Kilimanjaro-beklimming liep ik wekelijks een keer terug vanaf het werk in Amsterdam naar Volendam. Frappant was, dat ik enkele maanden geleden precies op zo'n trainingsdag kreeg te horen dat voor mij ontslag dreigde vanwege de crisis. Ik kon de bus pakken, maar besloot toch te gaan wandelen en hardlopen. Kon ik even uitwaaien en op mijn telefoon tikte ik ondertussen allerlei scenario's in, van wat er met me kon gebeuren en wat ik kon doen als ik daadwerkelijk thuis zou komen te zitten. Zag ik van ver de donkere lucht aankomen en zei ik hardop: ach, een buitje kan er nog wel bij. En jawel, het begon te regenen. Nou, dacht ik, het enige wat nog ontbreekt is onweer. En jawel, begon het te bliksemen, waardoor ik begon te rennen. Nam juist op dat moment niemand de telefoon op en die stopte er zelfs mee omdat-ie nat was geworden. Ik dacht: het enige wat nu nog ontbreekt, is dat ik geraakt word. Maar dat zei ik maar niet hardop. Ook al ben ik niet bijgelovig. Dat soort momenten, dat past echt bij mij. Maar misschien is alles nu wel omgedraaid, na het behalen van de top van de Kilimanjaro. Een dag na het terugkeren uit Afrika kon ik opeens kiezen uit twee jobs...'

Hij koos voor de functie bij het bedrijf waar hij eerder stage had gelopen, Wadman Architecten. Bij zijn vorige werkgever maakte hij zijn entree in de maatschappij als werknemer met gehavende huid en kon hij tot wasdom komen. 'Na een tijdje was ik daar gesetteld, maar kreeg ik te horen dat ik naar een andere vestiging moest. Ik ging naar een kamer met een Irakees, Iranees en een Marokkaan. Keek ik vooraf best tegen op. De meeste Volendammers zijn gewend en gehecht aan een veilige omgeving, je komt niet zo vaak met andere culturen in contact, voor mij was het de eerste keer. Plus dat ik juist aan de andere collega's gewend was en zij aan mij.'

Hij werd gevoed door onwetendheid en onzekerheid. 'Ik wist niet wat ik moest verwachten. Hoe zouden ze reageren op mij en ik op hen? De Iranees was vrij snel vertrokken, maar de Marokkaan werd mijn beste maat op het werk. Toen ik over de drempel ging, haalde hij 'm eigenlijk meteen voor me weg. Hij stelde vragen, hij is heel open en eerlijk. Wel een strenge moslim. Ik ben nog een keer met hem mee geweest naar de moskee. Was benieuwd hoe het er daar aan toe ging, waar het zoal over ging. Was een aparte ervaring. Om mee te maken, maar ook toen ik binnenkwam. Iedereen kijken. Komt er een blanke binnen die ook nog eens voor tachtig procent verbrand is. Ik wist in die moskee niet echt wanneer ik moest bukken of moest staan.'

'De omgang met deze collega's heeft mijn kijk op hun culturen veranderd. Van de Irakese man ben ik fan. De hardste werker, we noemden hem de robot. Hoe ik zelf in de omgang ben? Heel open. Soms denk ik wel eens: Tom, hou nou eens even je mond. Ik word al heel snel amicaal, da's misschien een beetje mijn manco: ik ben totaal niet zakelijk.'

'De collega's daar vroegen me niet vaak naar toen. Af en toe kwam het ter sprake. Mijn leidinggevenden stuurden me op allerlei bouwprojecten af. Dan dacht ik wel eens: jullie beseffen toch wel dat ik... Moest ik bijvoorbeeld wat berekenen in een prachtig pand op de Keizersgracht. Ga je onderweg toch een beetje twijfelen. Niet zozeer omdat ik Tom ben, meer omdat ik geen misser wil maken. En die mensen verwachten dan misschien iemand in een net pak; kom ik daar aan, in m'n spijkerbroekje. Terwijl het eigenlijk het grootste compliment is, dat ze me daar zo op af sturen.

Dat ze zich niet bedenken, omdat ik er anders uitzie. Komt misschien ook vanwege mijn houding, dat ik weinig laat merken van het feit dat ik verbrand ben.'

'Ik vergeet wel eens dat ik er zo uit zie. Toen we aan de afdaling van de Kilimanjaro bezig waren, raakten we in gesprek met een buitenlandse brandweerman. Hij had geprobeerd in zijn 'pak' de top te bereiken, maar moest zich voortijdig van die kleding ontdoen. Een heel leuk gesprek, maar pas een half uur later schoot me pas te binnen dat het voor hem best raar moet zijn geweest, dat hij als brandweerman met zo'n verbrand iemand had staan te praten. Heb ik hier of buiten het dorp ook wel eens, als ik een verbrand persoon zie. 'Die is ook erg verbrand', denk ik dan, voor het gemak vergetend dat ik zelf ook erg ben.'

Hij hoeft niet altijd te rekenen op sympathie en empathie van en bij anderen. 'Het onbegrijpelijk handelen, het zit er bij sommige mensen gewoon in. Vanwege de Functionele Invaliditeitsregeling die de overheid als tegemoetkoming voor de Volendamse slachtoffers heeft op laten stellen, kwamen we in aanmerking voor een geldbedrag. Raar dat als iemand in Limburg twee weken later verbrand is geraakt, dat niet krijgt. Maar bij deze ramp was de overheid betrokken. En hebben ze mensen met kennis van zaken een regeling op laten stellen. Wij krégen het, dat geld, ik heb er nooit om gevraagd. Niet om verbrand te geraken en niet om het geld. Maar bepaalde mensen vinden het nodig om herhaaldelijk opmerkingen te maken. Toen ik laatst mijn baan dreigde kwijt te raken vanwege de crisis, zei iemand: 'Beter jij dan ik, want jij hebt toch genoeg op de bank staan'. Ongelofelijk, zo heb ik vaker iets te horen gekregen. Sommige mensen hebben kennelijk een fixatie op geld, kunnen niet verkroppen dat wij dat bedrag hebben gekregen. Dan vraag je je af of ze soms willen ruilen. Bovendien kun je van dat geld mooie dingen gaan kopen, zoals ik een deel aan mijn huis heb besteed. Maar het is ook bedoeld om eventuele operaties of aanpassingen te bekostigen. En wie zegt mij dat er geen operaties meer noodzakelijk zijn? We weten niet wat er nog gebeuren kan met het lichaam, omdat niet iedereen hetzelfde is en er geen voorbeelden van zijn.'

'Je kunt rare dingen meemaken. Met vrienden ben ik jaren geleden naar Brazilië gegaan en hadden we in twee weken tijd zoveel vertraging, dat we 100 uur op vliegvelden door moesten brengen. Er speelde van alles op dat moment in Brazilië. Onder meer dat er iets eerder een vliegtuig van de landingsbaan was geschoten en diverse mensen verbrand waren geraakt tijdens die crash. Ik had speciaal namens onze groep gevraagd of het wel verstandig was te gaan. Geen probleem, zei men. Vervolgens ging er van alles mis. Echt van alles. Maar de maatschappij legde alles keurig naast zich neer, schoof het af op anderen. Geen enkel excuus of extra moeite doen voor dingen waar we recht op hadden, we werden als stront behandeld. Ik hield een dagboek bij, schreef een brief, kon alles ondervangen wat zij aan gaven. Schreven ze mij op het laatst dat ik maar eens stil moest gaan staan bij al die verbrande mensen van die crash en niet om geld moest gaan vragen. Het was hun laatste redmiddel. Echt laf. Op zo'n moment wil je mensen confronteren met wie ze te maken hebben. Ze lieten het voor de rechtbank komen, maar kozen ervoor zelf niet te verschijnen. Echt smerig.'
Voor één van zijn vrienden spelen bijna tien jaar na dato nog altijd de wrange consequenties van de Nieuwjaarsbrand. 'Fred Smit. Hij is later een maatje geworden van me. Bij hem was een

deel van zijn luchtpijp verbrand geraakt bij de Nieuwjaarsbrand. Elk half jaar kreeg hij in het ziekenhuis een alternatief stukje pijp van buiten af in zijn keel aangebracht. Maar per keer trokken huid en weefsel sneller dicht bij zo'n ingreep, dus men wist dat dit niet veel langer door kon gaan op deze manier. Alleen, ze wisten in Nederland geen oplossing. Maar zonder oplossing zou hij nog maar een paar jaar kunnen leven. Uiteindelijk kwam een andere vriend de mogelijkheid tot een luchtpijptransplantatie op het spoor. In België. Heb ik via onze Belgische medici contact gelegd met chirurgen in Leuven en een paar maanden geleden kreeg Fred een donorluchtpijp, eerst in een arm aangebracht. Als vierde ter wereld. Vooralsnog ziet het er goed uit en lijkt dat stukje lucht-pijp niet af te stoten van Fred's lichaam. Dan zou het later in zijn keel kunnen worden ingebracht. Ik heb er vertrouwen in dat het goed komt. Heb best wel een paar keer aan het andere scenario gedacht. Wat als het niet zou lukken, als het af zou stoten. Maar daar wil ik niet te lang bij stilstaan.'

Hij zou vaker een rol van betekenis willen spelen, bijvoorbeeld voor lotgenoten elders. Zoals iemand anders als voorbeeldfunc-tie voor hem gold. 'Ik wil best iets betekenen voor een andere brandwondenpatiënt, zoals de Belg Coen de Blaauw dat destijds voor mij heeft gedaan. Je wilt het enerzijds niet opzoeken en het weekschema laat niet alles toe qua tijd, maar als ik ergens voor gevraagd zou worden, wil ik daar best over nadenken. Ik werd een tijdje geleden gewezen op een advertentie waarin een brand-wondenkampbegeleider werd gevraagd. Daar heb ik wel even over nagedacht. Ik kan me voorstellen dat brandwondenpatiënten en de ouders met vragen leven. Over wat hen eventueel te wachten staat en wat er eventueel nog kan. Dan is het mooi om iemand iets mee te kunnen geven. Ik wist destijds in Brussel aanvankelijk niet wat mijn mogelijkheden waren, of ik zo verbrand nog wel iets kon. En voor iemand die altijd alles uitstippelt voor zichzelf, is dat het ergste wat er is. Net als we nu de Kilimanjaro hebben beklommen: het was niet mijn hoofddoel om daarmee iets voor andere mensen te betekenen, maar dat neem je wel mee als motivatie. Zoals Coen dat destijds voor mij deed.'

De Kili-klim is als documentaire verfilmd door de TROS. Hij hoopt dat kijkers er kracht aan kunnen ontlenen. 'Dat zou mooi zijn. Het is niet dat ik het leven uitdaag. Ik houd er alleen wel eens van om letterlijk en figuurlijk op de randen naast de afgrond te lopen. Dat gaat meer om het fysieke avontuur. Langs rotsen over rotsen klauteren, zoals dat tijdens de beklimming van de Kilimanjaro op een kort stuk moest. Dat noemden ze daar de 'Bad Zone'. Ik vond het de 'Fun Zone'. Een beetje avontuur. Heeft ook met het willen ontdekken van dingen in de wereld te maken. Na de beklimming hadden we nog één vrije dag en zijn we met een aantal personen naar National Park Ngorongoro geweest in Tanzania. Met die dieren in de wildlife. Vond ik fantastisch. De Belgische medici die met ons hebben meegeklommen, hebben enkele jaren geleden een stichting opgezet in Burkina Faso, om verbrande mensen in dat deel van Afrika gratis te helpen. Dat is toch super! Zij dienen mensen. Ik zou daar héél graag een keer willen kijken en waar kan hen ook helpen.'

'Vaak worden dezelfde mensen gevraagd, voor verhalen of tv-uitzendingen, als het om Volendam gaat. Ik behoor tot de uithangborden van de Nieuwjaarsbrand, omdat het heel kenbaar is bij mij. Terwijl zoveel andere jongeren, verbrand en niet verbrand, zich ook heel goed hebben ontwikkeld. Maar het lijkt wel of zij niet interessant genoeg zijn, omdat je het hen niet aanziet. Neem mijn maatje Jan Zwarthoed, bij hem zie je het voornamelijk aan zijn handen, minder aan zijn gezicht. Maar die heeft allerlei zware trajecten doorlopen en zijn verbrande handen zo laten zetten dat hij nog dingen vast kon pakken waardoor hij toch zijn droom om tandarts te worden, kon nastreven. Dat is zó knap.'

Met Zwarthoed deelt hij veel humor. 'Vaak met cynische ondertoon. Humor is heerlijk. Én belangrijk in het leven. En dat gaat dan ook wel eens over het verbrand zijn, met vrienden of m'n vader. Maar dat kun je van elkaar hebben. Sommige mensen hebben daar kennelijk moeite mee. Met onze vriendengroep gaan we elk jaar verkleed te kermis en vorig jaar waren alle vrienden tijdens de Volendammer kermis verkleed als gewichtheffer. Zo'n pakje aan, blote bast, opgetekend snorretje. Ik had het ook, maar kreeg, net als mijn ouders naderhand, allerlei opmerkingen van mensen. Waarom ik er zo moest bijlopen? Een reactie, omdat mijn armen en rug helemaal verbrand zijn. Maar ik kon het niet begrijpen. Waarom mochten zij wel en ik niet meedoen?'

Het snorretje werd de volgende morgen van het gezicht gewassen. Het zal nooit meer groeien, op natuurlijke wijze. 'De afgelopen jaren – recentelijk nog – is het een paar keer in mijn droom voorgekomen, dat ik de oude Tom was. Met haar op mijn hoofd. Maar gek genoeg was er in die droom wel iets mis met dat haar. Soms ontbraken er wat plukjes en kamde ik in mijn droom het aanwezige haar over dat kale stukje. Als ik dan 's ochtends wakker word, dan voel ik meteen even aan mijn hoofd. Het is zó echt, die droom. Als ik dan daarna voor de spiegel sta, ben ik heus niet down. Dan ga ik gewoon verder.'

'Chirurgen hebben me gezegd dat er misschien nog iets mogelijk is, omdat ik nog een paar haarzakjes heb op mijn hoofd, die
je nauwelijks kunt zien. Maar dat is een enorme ingreep en dan
denk ik eigenlijk: wie houd ik dan voor de gek? Ik ben dit nu
gewend, moet ik dan ineens met een kop met haar gaan rondlopen? Het enige wat vervelend is aan het kale hoofd, is dat ik
steeds moet nadenken over bescherming, dat overal mijn petje
mee moet. Want als ik even buiten ben en de zon geeft één steek,
dan is mijn hoofd al verbrand.'

'Weet je wat ik wel jammer vind: dat ik geen baard kan laten
groeien. Vind ik heftig. Ik snap niet waarom jongens om me heen
die baard elke dag afscheren. Een baardje maakt je een echte
kerel. Alleen al vanwege het feit dat je 'm uit gemak kunt laten
staan, dat je het aan iemand kunt zien dat-ie het heel druk heeft
gehad en geen tijd had om te scheren. Bij mij zal het altijd hetzelfde bleven, het aangezicht, over tien jaar, over vijftien jaar.'

Tegen die tijd kan hij nog altijd terugkijken op een mijlpaal van
wereldformaat. Aangetoond worden kan het (nog) niet, maar de
kans is klein dat ooit eerder personen met brandwondenpercen-
tages als die van Tom Kwakman, Lou Snoek en Marga Smit, op de
top van de Kilimanjaro hebben gestaan. Dat neemt niemand hem
af. 'Door 'de brand' heb ik mensen mogen ontmoeten en allerlei
dingen gedaan en mogen doen, wat anders waarschijnlijk nooit
was gebeurd. Maar toch: ik was liever normaal geweest. Zonder al
die brandwonden. Dat blijft.'

Bijna tien jaar na de Nieuwjaarsbrand maken Tom Kwakman (27), Lou Snoek (25) en Marga Smit (24), drie destijds zwaar verbrand geraakte Volendammers, zich op voor het bedwingen van de Kilimanjaro, met 5895 meter de hoogste berg van Afrika en de hoogste vrijstaande berg ter wereld. Ter ondersteuning reizen drie Belgische medici (met militaire achtergrond), begin 2001 in Brussel medeverantwoordelijk voor het oplappen van Tom en Lou, mee. Expeditieleider is René de Bos, die ooit als eerste Nederlander de Mount Everest met succes beklom. Het gezelschap wordt gecompleteerd door verslaggever Eddy Veerman en door een team van de TROS, dat een documentaire maakt ('Dichter bij de Hemel') die eind december 2010 wordt uitgezonden.

Dinsdag, 12 oktober 2010

Afscheid nemen

Schiphol, 's morgens vroeg. Voor iedereen zwaar, als je je naaste twee weken gaat missen. Andersom net zo erg, misschien wel heftiger, want zij blijven achter en voor de expeditieleden staan de 24 uur van de dag in het teken van een berg beklimmen. Voor de ouders van Lou, Tom en Marga is het helemaal een emotioneel moment, want zij laten hun kind gaan, terwijl ze die al bijna kwijt waren, tien jaar geleden. Enkele maanden eerder hadden de drie in de aanloop een presentatie gekregen van oud-volley-baller Bas van de Goor, die in 2008 de Kili besteeg met een groep diabetici. Toen Van de Goor zijn woordje in Volendam had gehouden, kwam Tom's moeder met een onvergetelijke reactie toen er na afloop vragen mochten worden gesteld: 'Mag ik mee?'

Nu Tom weer 'heen' gaat – in 2004 deed hij immers een vergeefse poging de Mont Blanc te bestijgen – valt dat zwaar, zoals dat ook voelt voor de vriendinnen van de jongens en de man van Marga. Zij en Peter zijn net getrouwd. Peter heeft twee leuke foto's laten maken en aan haar overhandigd, zodat hij altijd bij haar is als het straks omhoog gaat. Eén serieuze foto en één met een brede glimlach en de duim omhoog. Benieuwd welke Marga het meest tevoorschijn zal halen... We zijn inmiddels voorbij de douane en de gesprekken van de elf komen op gang. Het oogt nu al als een ploeg, alsof we al tijden lang met elkaar op pad zijn. Hopelijk dat dat de achterblijvers een goed gevoel geeft. 'Passen jullie goed op elkaar', is één van de laatste zinnen die de ouders uitspreken. Dat zullen we doen! 'We zijn er klaar voor, de voorbereiding is goed geweest', zegt Tom. 'Het luxe leventje is nu voorbij', weet Marga, die als enige vrouw mee gaat, met tien mannen. 'Heb ik geen problemen mee. Ik kan wel wat hebben.'

Woensdag, 13 oktober

Accu's opladen

Zowel de batterijen van alle elektronische apparatuur als de menselijke accu's worden opgeladen. In heerlijke weersomstandigheden geniet de groep expeditieleden van een rustdag in het Tanzaniaanse Arusha en de Kigongoni Lodge. Bewust in het schema gezet om ontspannen aan de klim te kunnen beginnen. Tenslotte hebben we met personen van doen van wie de lichamen door de Nieuwjaarsbrand zwaar aangetast zijn, van buiten en van binnen. 'Delen van de longen zijn verbrand en er zijn maar een paar plaatsen op het lichaam die nog de oorspronkelijke en niet verbrande huid hebben. Slechts op die plaatsen kunnen zij zweten en daardoor is de regulatie van hun lichaamstemperatuur heel anders dan de onze', legt de meegereisde Belgische therapeut Luc de Clerck uit.

'Het is daarom dat we minder snel naar boven gaan. Zes of zeven dagen klimmen en aan het eind in twee dagen dalen. Puur om het feit dat we meer tijd hebben om te acclimatiseren', vervolgt Luc, die 's morgens hartslag, zuurstofgehalte en bloeddruk van de drie Volendammers heeft gecheckt en geregistreerd. Als vergelijkingsmateriaal gebeurt dat eveneens bij de verslaggever en bij twee van de 55 Tanzanianen die als dragers mee gaan naar boven: zij nemen alles mee voor de expeditieleden en zichzelf: onze reistassen, de tenten, het voedsel, water, kookgerei, het aggregaat en dat voor een dag of negen. De expeditieleden dragen de dagrugzakken met alleen het nodige, zoals water, snacks en benodigde kleding. Voor de drie Volendammers zijn het hun eerste stappen op het continent Afrika.

Donderdag, 14 oktober

'Pole Pole'

'Rustig aan', in het Afrikaans. Op de eerste echte klimdag komt het woord vaak voorbij, ook uit de mond van de Volendammers. Hun geduld wordt meerdere keren op de proef gesteld, want voordat we goed en wel beginnen aan de eerste hoogtemeters, wordt het expeditiegezelschap tot twee keer toe opgehouden. Hoewel we niet alles over één kam mogen scheren, het is typisch Afrika. Alles is vooraf afgestemd, maar op een of andere manier verzinnen ze iets. Tot twee keer aan toe moet er flink onderhandeld worden. De Tanzanianen doen dat het liefst door middel van het ontvangen van dollars. Het betekent wel dat we anderhalf uur voor niks moeten wachten.

'Dat was irritant, maar de expeditieleider had al gezegd dat we ons op dit soort dingen moesten instellen', zegt Lou. 'De weg ernaar toe maakte veel goed. Met af en toe een *Once upon a time in the West- setting*'. De dorpjes met mensen die maar weinig hebben. Vrouwen die je ziet lopen met tonnen water op hun hoofd, of riet op hun hoofd. De mannen die rustig bij elkaar zitten. Dan krijg je een beeld van hoe ze hier leven.'

Vervolgens begint de eerste etappe, naar Shira Camp 1, naar 3500 meter hoogte. Lou, Tom en Marga beginnen vooralsnog zonder dagrugzak, puur uit voorzorg. Het liefst gaan ze mét. 'Omdat je dan alles dicht bij de hand hebt, maar het gaat vooral om het gevoel, het hoort bij het klimmen, bij het avontuur', zegt Lou. Hij stond al eens op de top van de Mont Blanc, Tom bleef toen 'haken' op 3500 meter vanwege hoogteziekte en op die hoogte zitten we nu al. In tentjes. Hoofdlampjes mee, kaarsjes erbij in de eettent en genieten van de kookkunsten van één van de Tanzaniaanse dragers die met de groep meegaan naar boven. Destijds in de Franse bergen had Tom problemen met het eten, nu smult hij aan de voet van het bergmassief van pompoensoep. Dat belooft veel goeds!

De expeditieleider vertelt over de rustige opstart in de komende dagen. Er wordt voorzichtig begonnen met Diamox, pillen tegen de hoogteziekte. Naar gelang de hoogtemeters wordt het aantal milligram bepaald. Het is een vochtafdrijver en dat moet één van de drie Volendammers, Tom, op dag één al ervaren. Hij moet het openbare toilet om de haverklap te gebruiken.

Vrijdag, 15 oktober

Respect

De eerste nacht is meteen een beproeving geweest. Tom: 'Het was superkoud, totdat je je slaapzak in ging met wat kleren aan.' De gevoelstemperatuur lag onder nul toen hij in het donker twee keer zijn tentje uit moest om te plassen. 'De hemel was helder, dus je kon alle sterren en planeten zien en in de verte de top van de Kilimanjaro met het ijs en de sneeuw. Maar als je het tentje weer in kwam, ging je hart flink tekeer. Komt door de hoogte. Maar ik voel me super.'

Naar Camp 2 (3900m) vraagt Luc, de bewaker van het tempo, regelmatig aan de drie Volendammers hoe zij zich voelen. Soms hun handen pakkend om de temperatuur daarvan te voelen. Voorzichtigheid gaat boven alles. 'Het klinkt goed, maar het zegt nog niet alles', zegt De Clerck's collega Bert Van Den Hof onderweg als Tom nogal praterig is en dus fit oogt. 'We gaan vanavond en vooral morgenochtend bekijken hoe de reacties op de nieuwe hoogte zijn. Aan de hand daarvan bepalen we of flink zullen stijgen of minder hoogtemeters pakken.'

Zoals de Belgen oog hebben de voor de medemens, heeft Lou dat voor de Tanzanianen. Onderweg wordt het gezelschap dikwijls gepasseerd door een groepje van de 55 Tanzaniaanse dragers. 'Respect', zegt hij tegen de voorbijkomende Afrikanen, die met

35 kilo op het hoofd veel sneller omhoog gaan. Er werd minder kou verwacht dan de eerste nacht, maar als de groep 's middags om half drie boven komt, moeten er weer meerdere lagen kleding over elkaar, verblijft men in de mist en blijft het voortdurend regenen. 'Pak ik maar mijn kruiswoordpuzzeltjes', zegt Tom. 'Vliegt de tijd om, want ik kan het niet verkroppen als ik iets niet weet.' Anders kan hij het nog altijd aan één van de andere expeditieleden vragen, want die kunnen geen kant op, behalve hun tentjes. 'Dit is echt overleven', zegt Marga, die naast de vrieskou als vrouw te dealen heeft met de primitieve omstandigheden van een ouderwets openbaar toilet. het behoorlijk stinkende 'gat in de grond'. 'Daar ga je 's nachts niet als pretje je tentje voor uit. Ik heb vannacht maar twee uurtjes geslapen. Ik weet in ieder geval dat er botten bij m'n heupen zitten', gaf zij aan dat het – het millimeters dikke matrasje ten spijt – voelt alsof je op de harde grond slaapt. Lou en Tom hadden ook niet veel uurtjes gepakt 'Maar ik voel me goed', was Tom nog opgewekt geweest toen hij 's morgens buiten het tentje gauw het bovenlichaam opfriste met zeep en een beetje warm water in een door de dragers gebracht teiltje. Bij het ontbijt in de buitenlucht waagde hij zich aan de havermout, maar veerde hij pas op toen er een worstje, gebakken eitje en pindakaas op tafel belandde. 'Tot nog toe heb ik het nog niet zo goed gehad', bevestigde ook expeditieleider René de Bos, die twee keer eerder met een groep naar boven ging. De meeklimmende Tanzaniaanse kok kreeg gisteravond al applaus van de tent Hollanders en Belgen.

Zaterdag, 16 oktober

Een echte expeditie

Het begint nu een echte expeditie te worden. Het is af en toe afzien. Vannacht tikte de temperatuur de -5 graden aan. En als de groep in het derde kamp aankomt lijkt de zon door te breken, maar begint het plots hard te hagelen en is de kampeergrond en de fantastische omgeving binnen de kortste keren bedekt met een laag sneeuw.

'Eigenlijk heb ik vannacht maar drie uurtjes geslapen, maar wel lekker gerust, tot de Afrikanen drukte begonnen te maken', had Marga bij het opstaan rond half zeven nog verbouwereerd om zich heen gekeken. 'Echt ongelofelijk', reageert ook Tom, over het feit dat het deel van onze groep Tanzaniaanse dragers, die in onze eettent slaapt, een verhitte discussie had in het Swahili's. Lou is nauwelijks wakker geweest. 'Ik ben gezegend, kan overal goed slapen, heb eigenlijk niks meegekregen van die geluiden.'

We gaan vervolgens geleidelijk aan omhoog. Aanvankelijk stijgend naar 4200 meter, maar een avond eerder is besloten om een kamp verder, vlak onder Lava Tower, te stoppen. De Afrikanen hebben onze expeditieleider wijs gemaakt dat dat kamp op 4400 meter ligt, maar het blijkt op 4550 meter te zijn. En dat eist slachtoffers. Enkele personen worden geconfronteerd met lichte hoogteziekteverschijnselen. De Belgische chirurg Michel van Brussel – een sterke man – wordt echt getroffen, toont alle symptomen en moet tegen de avond vreselijk ziek zijn tent uit om zo snel als mogelijk met twee dragers af te dalen naar het dichtstbijzijnde kamp. Wellicht teveel te snel meegesjouwd naar boven en te weinig gedronken. 'Daar ben ik wel van geschrokken', zegt

Lou. 'Als Tom, Marga en ik ons goed voelen en je ziet zoiets gebeuren bij een man die sowieso sterker dan ons moet zijn. Mijn leven was destijds onder meer in zijn handen. Dit verwacht je niet en het bewijst eens te meer dat hoogteziekte iedereen kan treffen.'

Zondag, 17 oktober

'Wat doe ik hier?'

'Als ik de laatste twee nachten neem, dan denk ik echt: wat doe ik hier?', windt Marga er geen doekjes om. De temperaturen grensden aan de vijf en zeven graden onder nul. De primitieve omstandigheden. Kwam voor de Volendamse nog bij dat ze last kreeg van een ontsteking bij haar neusvleugel, die heel dik geworden is en heel pijnlijk is. Het zijn gevolgen van de vele operaties die zij onderging aan het gelaat, in de eerste weken na de Nieuwjaarsbrand.

De omstandigheden zijn weerbarstig. 's Morgens gaat het zonnetje schijnen, maar bij aankomst in het kamp trekt een pak wolken de boel dicht en volgt er een sneeuw- en regenbui en behoorlijke kou. 'Dat betekent dat als je aankomt, je meteen je tentje in gaat om wat te rusten, dan hebben de Tanzanianen die als dragers mee naar boven gaan thee gezet en gaan we naar de groepstent, dan ga je terug richting je eigen tentje en meld je je daarna weer voor het eten in de groepstent, om daarna vroeg je slaapzak in te gaan', geeft Tom het leefritme aan. 'Je kunt niks doen in die kou op een berg. Deze omstandigheden hadden we misschien hoger verwacht, maar niet hier. Het is een geruststelling dat de Afrikanen ook bibberend van de kou rondlopen.'

Het groepsgevoel maakt een hoop goed. En gelukkig treft de groep Michel 's middags bij het afdalen aan, in goede gezondheid. 'Ik dacht echt dat het gedaan was met ieders expeditie. Als arts weet ik welke stadia je doormaakt tijdens hoogteziekte. Het was te slecht weer om af te dalen, dus ik dacht even in mijn slaapzak te gaan liggen. Vervolgens begon het hoofd slecht te worden en lag ik te shaken. Ik kon niet eens meer bij het fluitje dat we altijd bij ons hebben voor noodweer.'

'Denk erom dat gij alle inspanningen vertraagd doet en na elke kleine inspanning tijd neemt om te herstellen, vanwege het feit dat er minder zuurstof is', zegt zijn landgenoot Bert nog eens tegen de gehele groep. 'Je bent gewend om alles in je eigen tempo te doen, maar dat kan niet op deze hoogte. En drink minimaal drie liters water per dag, houd jezelf daar aan.'

Tussen beide kampen tikt de groep de 4750 meter aan, waarna ze afdalen over een rotsachtig pad naar 3900 meter, naar Baranco Camp. 'En dit was een belangrijke test voor ons. Zie het als dat de voorbereidende klim er nu op zit', zegt Bert. 'Nu gaan we weer geleidelijk aan omhoog. Alles om de drie gezond aan de top te krijgen.' Risico's worden vermeden, slechts twee weken geleden overleed een Tanzaniaanse drager vanwege hoogteziekte.

De ontstekingspijn vermindert enigszins bij Marga, na wat medicijnen van de Belgische artsen. 'En nu we weer wat lager zitten, was het ook wat warmer in het tentje. Ik voel me verder prima en ben klaar voor de volgende etappes.'

Vanmorgen waren de Belgen Luc en Bert met hun map met gegevens langs alle tenten gegaan. Om te kijken hoe iedereen de nacht is doorgekomen. De ontberingen zijn heftig. Expeditieleider René: 'Het is duidelijk kouder dan twee jaar geleden.' Om niet met -7 graden 's nachts zijn tentje uit te hoeven voor het moeten plassen, heeft Tom, die met muts, sjaal en thermokleding bedekt in de slaapzak ligt, een oplossing: in het tentje een lege waterfles 'eronder zetten' en daar de behoefte in doen.

Maandag, 18 oktober

Eindelijk een goede nachtrust

De Belgische artsen en expeditieleider René de Bos beloofden vanwege het lager vertoeven dat de groep iets zou inhalen van het slaaptekort en zo geschiedde. Een belangrijke factor in het wapenen tegen eventuele hoogteziekte. Ook Marga is daardoor in opperbeste stemming en staat wederom 's morgens om kwart over zes tussen de tentjes te babbelen. 'Gelukkig is de pijn bij mijn neus ook minder geworden.'

Vanaf het kamp kan de groep de Baranco Wall zien en die moet bedwongen worden. Niet ongevaarlijk, met het klauteren langs de rotsformaties, met daarnaast soms de afgrond. 'Dit is fantastisch en toch mede waarom we hier zijn', zegt Tom de avonturier. Als de groep naderhand 300 meter in totaal is afgedaald langs de rotspaden en ook 400 meter omhoog is gegaan, is de aankomst in Karanga Camp in de wolken en op een helling, waarbij de Tanzaniaanse dragers de ene tent horizontaal en de ander verticaal hebben geplant. 'Zoals de onze staat, rol ik vannacht steeds tegen Lou aan en komt er niks van slapen. Ik ben even gaan liggen, maar werd bijkans zeeziek', heeft constructeur Tom al gauw berekend. Samen met twee dragers draaien ze de tent een kwartslag, zodat ze vannacht ieder afzonderlijk kunnen dromen van het dak van Afrika.

Dinsdag, 19 oktober

Met z'n allen naar boven

Het eerste beetje euforie! Vannacht gaat het geschieden: de gehele groep gaat voor de top. Rond vier uur gaan we zo licht mogelijk bepakt, met een kop thee en wat koekjes in de maag en de hoofdlampjes op onderweg. Iedereen voelt zich fit nadat we vanuit Karanga Camp (4030) meter geklommen zijn naar Barafu Camp, dat op 4675 meter ligt.

Gisteravond is namelijk besloten om de toppoging een dag eerder te doen. Aanvankelijk was het plan om morgen naar Crater Camp te gaan, dat op 5500 meter ligt. Gesitueerd aan de rand van de krater en een geweldig uitzicht gevend, maar er kleeft ook een nadeel aan. 'Veertig procent van de mensen die daar gaat liggen in het tentje, wil vervolgens naar beneden omdat de hoogteziekte hen grijpt', legde René de Bos uit tijdens het overleg na het avondeten in de tent. 'Dat risico moeten we niet willen nemen', was hoofdarts Bert stellig. Lou, instemmend: 'Ik heb hier zo lang naar toegeleefd, ik wil geen hoogteziekte riskeren als dat niet hoeft.'

Michel is weer zichzelf. Humoristisch en oprecht: 'Toen onderweg naar Barafu enkele buitenlandse mensen vroegen wat wij aan het doen waren en er uitgelegd werd van de TROS-documentaire en de drie Volendammers, heb ik die mensen gezegd dat zes jaar geleden wij hen richting de top van de Mont Blanc gidsten en dat het nu andersom is. De ex-patiënten brengen de artsen naar boven', glimlacht hij, met een grote dosis respect. 'Marga is ook een dijk van een vrouw. Tien jaar na de Nieuwjaarsbrand schenken deze drie Volendammers dromen aan andere mensen, wel of niet verbrand.'

De top nadert. Lou: 'Tja, nu komt het echt dichterbij. Letterlijk en figuurlijk.'

Woensdag, 20 oktober

Wat een climax!

De omstandigheden om vier uur 's nachts zijn goed bij het vertrek, behalve dat er vrieskou heerst. Langzaam aan komt de zon door. Het zorgt voor fenomenale vergezichten, boven de wolken. 'Het wordt 'top' weer', voorspelt Tom onderweg. In het door Luc uitgestippelde tempo en een goede arbeids-/rustverhouding gaan we rustig naar Stella Point, dat op 130 hoogtemeters van de top ligt. 'Daar haken de meeste mensen af, vanwege hoogteziekte', had de expeditieleider vooraf verteld. Die mensen zien de Volendammers ook om zich heen, ziek of moe afgevoerd door gidsen, gedurende de zesenhalf uur dat zij stijgen.

Dan het voor hen cruciale punt, Stella Point. 'Het is een punt waar je naar toe werkt, maar het laatste steile stuk daar naar toe was echt héél zwaar', beaamt Marga bij aankomst. Dan al is er een licht euforische stemming, omdat iedereen er goed herstelt. 'René zei dat het laatste steile stuk naar Stella Point slopend zou zijn en ik zat er in die laatste meters ook he-le-maal doorheen', brengt Lou uit. Tom: 'Ik dacht dat ik het aan m'n hart zou krijgen. Maar gelukkig herstelde ik na dat punt heel snel.'

Daarna schuifelt de groep door naar Uhuru Peak, de top, op 5895 meter. Omhelzingen volgen. Iedereen is boven. De drie zijn intens blij, maar blijven 'koel' op de top, in al hun nuchterheid. Maar de binnenkant gloeit van trots.

Na ruim een uur gaat de groep naar beneden. Meteen volgt er een sneeuw- en hagelbui, wat de afdaling lastig maakt. Tom: 'Voor ons zijn alle ingrediënten bij elkaar gekomen.' Lou: 'We hebben geluk gehad met het weer. Aan de andere kant, als het weer goed is, moet je er ook nog zelf zien te komen. Hier hebben we voor getraind. En dan dit te bereiken met deze mooie ploeg, met perfecte medici om ons heen, dat is geweldig!'

DANKWOORD

Met dank aan: *Nieuw-Volendam (Nivo)*, *De Telegraaf*, *TROS*, Veerman Advocaten, NGO Flame Burncare, René Schilder, het engelengeduld van mijn vriendin Anneke.

Eddy Veerman

. . . .

Bedankt voor het kopen van dit unieke boek. Ik hoop dat u het boek net zo boeiend vindt, zoals voor mij het maken daarvan was. Dank aan hen zonder wie dit mij niet was gelukt: mijn vriendin Joyce voor het geduld. Mijn ouders en broers omdat ze zo speciaal zijn. Collega Eddy Veerman voor de unieke kans om dit te mogen doen. Foto Blaauw voor de cursus en tips. Arnold Mühren voor het beschikbaar stellen van de studio. Alle personen die staan afgebeeld in dit boek voor hun medewerking. Verder John Veerman en Saul Jonk voor hun luisterend oor. David May voor het maken van de foto van Kees Kwakman. Nogmaals dank! Meer informatie kunt u vinden op: **www.rp-art.nl**

René Schilder

COLOFON

Copyright

© Eddy Veerman / De Boekenmakers, november 2010

info@deboekenmakers.nl / **www.deboekenmakers.nl**

Tekst Eddy Veerman

Eindredactie Annelie Verhagen, Susanne Davids

Vorm en opmaak David van Iersel, De Boekenmakers

Fotografie portretten René Schilder

ISBN 978-90-77740-73-6

NUR 460

Eerste druk november 2010

Tweede druk december 2010